SPANISH 973.046872 D931e
Du... d...
La experiencia migrante:
iconograf_ia de la
MEN 1048217952
WORN, SOILED, OBSOLETE 2002

WITHDRAWN

D1107455

Provided

by

Measure B

which was approved

by the voters in

November, 1998

La experiencia migrante

Jorge Durand
Patricia Arias

La experiencia migrante

Iconografía de la migración
México-Estados Unidos

INSTITUTO TECNOLÓGICO DE ESTUDIOS SUPERIORES DE OCCIDENTE
UNIVERSIDAD AUTÓNOMA DE AGUASCALIENTES
UNIVERSIDAD AUTÓNOMA DE NAYARIT
UNIVERSIDAD AUTÓNOMA DE ZACATECAS
UNIVERSIDAD DE COLIMA
UNIVERSIDAD DE GUADALAJARA
UNIVERSIDAD DE GUANAJUATO

2000

altexto
alianza del texto
universitario

Alianza del texto universitario

ITESO

D.R. © 2000 Instituto Tecnológico de Estudios
Superiores de Occidente
Coordinación Editorial
Periférico sur 8585
Tlaquepaque, Jalisco, México

UNIVERSIDAD AUTÓNOMA
DE AGUASCALIENTES

D.R. © 2000 Universidad Autónoma de Aguascalientes
Departamento Editorial
Av. Universidad 940
20100, Aguascalientes, Aguascalientes, México

D.R. © 2000 Universidad Autónoma de Nayarit
Dirección Editorial Universitaria
Juan de la Barrera 37
Fracc. Lomas de la Cruz
63190, Tepic, Nayarit, México

D.R. © 2000 Universidad Autónoma de Zacatecas
Departamento Editorial
Jardín Juárez 147
Centro
98000, Zacatecas, Zacatecas, México

D.R. © 2000 Universidad de Colima
Av. Universidad 333
28016, Colima, Colima, México

D.R. © 2000 Universidad de Guadalajara
Coordinación Editorial
Francisco Rojas González 131
Col. Ladrón de Guevara
44600, Guadalajara, Jalisco, México

D.R. © 2000 Universidad de Guanajuato
Coordinación Editorial
Mesón de San Antonio
Calle Alonso 12, centro
36000, Guanajuato, Guanajuato, México

ISBN 968-895-883-2

Impreso y hecho en México
Printed and made in Mexico

Fotografía de la portada *Olivia Campos de Gallo*

Índice

Presentación

A diferencia de los migrantes que han llegado de muchos otros lugares para establecerse en Estados Unidos, los trabajadores mexicanos han tenido siempre como horizonte el retorno al terruño. Esta diferencia tuvo que ver, en parte, con la vecindad compartida en una frontera amplia y porosa que la impresionante expansión de la red ferroviaria norteamericana y su conexión con México en 1884 volvió cercana y accesible.

Así, los mexicanos se integraron a ese caudal migratorio que entre 1880 y 1924 sumó más de veintiséis millones de personas que ingresaron a Estados Unidos procedentes de casi todos los rincones de la tierra (Chermayeff *et al*. 1991). Las razones que atraían a los migrantes eran tan poderosas como las que los expulsaban. Estados Unidos llegó a las postrimerías del siglo XIX como la economía más próspera y dinámica del mundo. A la oferta de tierra barata y de trabajo agropecuario en esas inmensas planicies que fue integrando el paso del ferrocarril, se añadía el empleo que se multiplicaba en la industria y los servicios de las ciudades. Una vez desatada, la misma oleada migratoria se encargaba de hacer crecer la demanda de productos y servicios específicos que paisanos de cada grupo, etnia o religión procuraban abastecer en establecimientos que fueron mimetizándose con el origen, el carácter y las necesidades culturales de las distintas nacionalidades que se aglutinaban en barrios de ciudades y pueblos. A partir de las últimas décadas del siglo pasado se sucedieron en cascada los motivos que hicieron salir a la gente de nuestro país: el deterioro de las condiciones de vida en los años finales del porfiriato, la huida frente a las redadas implacables de la leva,

el miedo y los trastornos de la revolución y su secuela irremediable que se prolongaron más allá incluso de los años de la guerra cristera (1927-1929). Así, entre una y otra cosa, entre 1900 y 1924 se registraron casi medio millón (475 000) de entradas de mexicanos a Estados Unidos (*Ibídem*). Esta cifra no corresponde desde luego con el número de migrantes porque la gente se desplazaba cada vez con mayor familiaridad entre ambos lados de la frontera. Y es que, con todo, también había motivos para regresar a México: la expectativa del reparto agrario en los años veinte, la renovada esperanza en las posibilidades de la vida rural en la época del general Lázaro Cárdenas. Así, entre idas y regresos, muchas familias, en verdad comunidades enteras, aprendieron a emigrar hasta convertir en rito y rutina el trabajo temporal en Estados Unidos.

En esos motivos que jaloneaban de uno y otro lado se eslabonaban los impulsos íntimos, esas ilusiones personales tan vigorosas que lograban desarraigar a la gente de sus terruños, separarla de sus afectos primordiales. Al menos por un tiempo. Eran, sin duda, hombres y mujeres valientes y trabajadores, decididos a internarse y salir adelante en ese enorme territorio que en los recuerdos de tantos comenzaba en El Paso, Texas. El objetivo lo ameritaba. Se trataba de que los dólares desquitados día a día y ahorrados centavo a centavo, hicieran posible un mejor retorno al calor de lo conocido, al lugar donde se era reconocido.

Como quiera, no todos pudieron mantener la intención del retorno. Las malas noticias que no cesaban de llegar de México, el hallazgo de un buen trabajo, el encuentro con el amor de la vida, convirtieron a muchos trabajadores y trabajadoras en migrantes permanentes que tuvieron que aprender a vivir y a querer a su nuevo país, tratando de no olvidar la patria, los afectos, los gustos que dejaban. Así se fue ampliando más y más la comunidad mexicana en Estados Unidos. Comunidad que con sus ires y venires fue dejando la huella de su paso en diferentes y sucesivos espacios de la geografía norteamericana: El Paso, San Antonio y los campos texanos, Arizona, Kansas City, Chicago, Los Angeles, el mundo agrícola infinito de California. Algunos, como Kansas City, fueron destinos efímeros; otros se convirtieron en plataformas de intensa vida mexicana: Los Angeles, Chicago.

Este libro ha tratado de rastrear esa huella y de ese modo reconstruir el itinerario cambiante de la presencia mexicana en Estados Unidos a través de los testimonios gráficos que la misma migración fue creando y recreando. Se trata de la historia anónima de un pueblo dividido que se reencuentra y reconoce en prácticas, objetos, recuerdos que se conocieron o de los que tanto se oyó hablar que han pasado a formar parte de la historia colectiva, de la cultura de un pueblo migrante.

II

Este libro se basa en tres tipos de fuentes que proporcionaron material iconográfico: fotografías, documentos e impresos que fueron localizadas en muy distintos y distantes depositarios.

En la Fototeca (Prints and Photograps Division) de la Biblioteca del Congreso en Washington, DC, se conserva la colección completa de las fotografías del proyecto que financió la Farm Security Administration con el fin de conocer las transformaciones que estaba viviendo la agricultura, las características de la migración y las condiciones de vida de los trabajadores agrícolas en el oeste norteamericano después de la Gran Depresión (Partridge 1994). De este acervo se seleccionaron fotografías poco conocidas de cuatro profesionales de la cámara: Jack Delano, Dorothea Lange, Russell Lee y Arthur Rothstein. Cada uno de ellos dejó testimonio de la presencia mexicana en los trabajos del ferrocarril y en los campos de Arkansas, California, Illinois, Oklahoma y Texas en los años 1930-1940. Las fotografías muestran la incorporación de mujeres, ancianos y niños al trabajo rudo de la agricultura, las precarias condiciones de vida en los campamentos y en los atiborrados camiones, esas casas rodantes que le permitían a la familia migrante desplazarse entre los lugares de trabajo.

Dorothea Lange era además una famosísima fotógrafa de temas sociales y esposa de Paul S. Taylor, gran estudioso de la migración mexicana a Estados Unidos. Su colección personal de fotografías y negativos fue donada por Paul Taylor a The Oakland Museum de Oakland, California. De allí se seleccionaron fotografías de las distintas actividades agrícolas donde ella encontró trabajadores mexicanos. En esa colección se encontraron fotografías únicas como la de la llegada a Stockton, California, del primer tren de trabajadores mexicanos que fueron contratados por el Programa Bracero en 1942.

En la ciudad de El Paso, Texas, se consultaron dos importantes fondos fotográficos: las colecciones que guarda la Biblioteca Pública y las del Departamento de Colecciones Especiales de la Biblioteca de Texas.

En México, se consultaron también dos grandes acervos fotográficos. La Colección de los Hermanos Mayo que se encuentra en la Fototeca del Archivo General de la Nación (AGN) donde se localizaron fotografías de la contratación de braceros en la ciudad de México en los años 1943-1945. El Archivo Casasola, que forma parte de la Fototeca del Instituto Nacional de Antropología e Historia en Pachuca, Hidalgo, tiene fotografías de las contrataciones en los años cuarenta y del cruce ilegal del río Bravo en la década de los sesenta. Unas y otras se publicaron originalmente en periódicos de la época.

En otros archivos se localizaron fotografías de variada índole. La Fototeca del Archivo de la Secretaría de Relaciones Exteriores (SRE) conserva imágenes de antiguos consulados, de la celebración de fiestas patrióticas y de casas de enganche de trabajadores en Estados Unidos de las décadas del veinte al cuarenta. En el Archivo Municipal de Zamora, Michoacán, se localizaron contratos de enganches realizados a principios de este siglo con fotografías de las familias contratadas. El Archivo General del Gobierno del Estado de Guanajuato guarda pasaportes, salvoconductos, cartas de recomendación y credenciales con datos y fotografías de los que buscaban ir a Estados Unidos.

Fotografías de credenciales de braceros, *green cards* y micas fueron proporcionadas por los mismos trabajadores o sus familias. Pero en verdad la fotografía que más abunda en los álbumes familiares es la del migrante tomada en algún estudio fotográfico de Estados Unidos o de la frontera. Para la ocasión, aquél, ataviado con sus mejores galas (en ocasiones rentadas), se hacía tomar fotos en diferentes posiciones para mandar a familiares y amigos. Los migrantes no hacían llegar a México fotografías como las de la Farm Security Administration, que descubrían las difíciles condiciones de vida y trabajo que imperaban en campos y fábricas. La imagen del éxito, como creación y necesidad del propio migrante, daba alivio a su familia y mostraba a vecinos y paisanos los logros posibles del esfuerzo migratorio. La imagen creada resultaba lo suficientemente poderosa como para animar a otros a repetir el intento y de ese modo a reproducir hasta convertir en tradición local los episodios migratorios individuales.

Los documentos que reconstruyen la cronología de la migración se encuentran en diferentes archivos: Archivo General del Estado de Guanajuato, Archivo Municipal de Concepción de Buenos Aires, Jalisco, Archivo Histórico Munici-

pal de León, Guanajuato, Archivo Municipal de Zamora, Michoacán, que conservan contratos de trabajo, telegramas de la época de las deportaciones, avisos de las secretarías de Gobernación y de Relaciones Exteriores a los braceros, cartas (avisos de defunción, búsqueda, solicitud de documentos oficiales), sorteos y listas de braceros.

Para la reconstrucción de la vida social y la cronología de sucesos desde el otro lado, se recurrió a la revisión y selección de materiales en siete periódicos y semanarios que se publicaron en las ciudades de Estados Unidos donde hubo en algún momento una presencia mexicana vigorosa: *El Fronterizo* de Arizona (1880); *El Observador Fronterizo* (1896), *Las Noticias* (1899) y *El Clarín del Norte* (1907) de El Paso, Texas; *El Cosmopolita* de Kansas City (1914-1919); *El Demócrata Fronterizo* de Laredo, Texas (1919) y *La Opinión* de Los Angeles, California (1930-1931 y 1942-1943). En ellos aparecían publicadas noticias y artículos de ambos lados de la frontera que resultaban de interés para la comunidad mexicana, fotografías, caricaturas, anuncios comerciales y de servicios, ofertas de trabajo, contrataciones y avisos de ocasión.

III

La investigación que hizo posible la búsqueda y recuperación de materiales iconográficos fue financiada por el Fideicomiso para la Cultura México-Estados Unidos, patrocinado por el Fondo Nacional para la Cultura y las Artes-Fundación Cultural Bancomer-The Rockefeller Foundation en su Programa Cultural de 1996.

Agradecemos de manera muy sincera el apoyo de los licenciados Isauro Rionda Arreguín, director del Archivo General del Estado de Guanajuato y Carlos Arturo Navarro Valtierra, director del Archivo Histórico Municipal y cronista de la ciudad de León, Guanajuato; de los señores Jesús Torres Contreras y Salvador Yáñez de Concepción de Buenos Aires, Jalisco. En el trabajo de captura de información y elaboración de la base de datos colaboraron la maestra Emma Peña López, y las licenciadas Raquel Carvajal y Verónica Lozano. El apoyo de infraestructura fue de la Universidad de Guadalajara, institución que acoge a los autores de este trabajo.

Las tierras que fueron nuestras

En menos de 10 años, entre 1845 y 1854, México perdió la mitad de su territorio. Por medio de la anexión, la conquista o la compra las lejanas provincias del Norte –Alta California, Nuevo México y Texas– pasaron a formar parte de Estados Unidos.

Ese gigantesco territorio, que permaneció bajo influencia española por casi tres siglos, sólo perteneció a México por 25 convulsionados años. La herencia urbana dejada por España incluía unas cuantas ciudades: en Nuevo México se destacaba Santa Fe con 5 000 habitantes. Muy atrás quedaban Tucson y Tubac con 400 cada una. La mayor proporción de población se encontraba dispersa a lo largo de la ruta conocida como la Jornada del Muerto, a orillas del río Bravo, a medio camino entre El Paso y Santa Fe: unas 30 000 gentes de razón y unos 10 000 indios agricultores, parcialmente asimilados. En Texas, estaban San Antonio y Goliad con 2 500 vecinos. En California unas 3 200 personas se repartían a lo largo de la franja costera que va de San Diego a San Francisco. Otra buena cantidad de gente se ubicaba en El Paso y alrededores: 8 000.

En verdad, la colonización española había dotado a la región de un esquema de poblamiento hecho sobre todo a base de presidios y misiones. Los presidios eran guarniciones que servían para controlar a los indios belicosos y para defender con armas el territorio y las posesiones de colonos, clérigos, rancheros y

Territorios perdidos

comerciantes; operaban de manera conjunta con la población organizada en forma de milicias. Contaban asimismo con el apoyo de la Iglesia que, a través de las órdenes religiosas, procuraba la conversión de los indios insurrectos; quienes, una vez evangelizados, servirían como mano de obra o eventuales soldados. Esa combinación de mano dura con los indios insurrectos y diplomacia con las tribus amistosas, y de actividad comercial en general que había funcionado en la era colonial, se desmoronó en la época republicana. El gobierno mexicano, débil y en quiebra, dejó de subsidiar a las guarniciones, se desentendió de las misiones y suprimió las milicias. Lo único que permitió fue el comercio. Por esa vía se expandió sin prisa, pero sin pausa, la influencia extranjera en la región.

Los españoles habían dividido ese territorio, que iba del océano Atlántico al Pacífico, en tres grandes provincias incomunicadas entre sí que, por razones de índole política, sólo podían comerciar con la alejadísima ciudad de México. Así, no fue extraño el surgimiento de intereses locales separatistas. Sobre todo en Texas, donde de los 24 700 habitantes que había en 1832 sólo 3 400 eran mexicanos.

Los primeros impulsos en ese sentido se manifestaron en 1833, cuando los texanos demandaron al gobierno central la conformación del estado de Texas –independiente del de Coahuila–, la erogación de nuevas leyes aduaneras y la derogación de otras que limitaban la inmigración. Las gestiones de los texanos resultaron infructuosas en lo político, pero favorables en lo que tocaba a las cuestiones económicas, jurídicas y migratorias.

La ocasión para exigir la concesión política se presentó muy pronto. En 1835, con la desintegración del sistema federalista, se frustró la aspiración de Texas de convertirse en un estado independiente. Pero el pretexto estaba dado. Los separatistas texanos aprovecharon la ocasión para manifestar su apoyo a la constitución derogada, lo que los colocaba fuera del sistema.

La reacción no se hizo esperar. El ejército centralista, al mando de Santa Anna, se dirigió a Texas para aplacar la rebelión, del mismo modo que lo había hecho con Zacatecas que también se había opuesto a la supresión del sistema federalista. En esa incursión se jugó el destino del lejano norte. Luego de algunas batallas y varias escaramuzas, el general Santa Anna fue tomado prisionero, mientras dormía una siesta, y obligado a firmar los tratados de Velazco donde reconocía la independencia de Texas. Fue el principio del fin.

La política centralista también había afectado los

Nunca supimos, realmente, lo que habíamos perdido

En la política exterior, el undécimo período de (Santa Anna) Su Alteza Serenísima cerró el último, humillante capítulo de la guerra con Estados Unidos: la cesión de una franja adicional de territorio, la zona de La Mesilla. Tiempo después, Santa Anna recibió la visita de un acucioso cronista y cartógrafo, Antonio García Cubas. Ante la vista del presidente vitalicio, desplegó un mapa cuidadosamente elaborado del territorio nacional, el anterior a la guerra y el posterior. Sin hacer comentarios, Santa Anna se echó a llorar: por primera vez calibraba lo que el país había perdido.

intereses de la gente de las provincias de Alta California y Nuevo México que año con año establecían rutas comerciales que los separaban de la capital de México y los vinculaban, cada vez más, con Estados Unidos. Aunque los nuevomexicanos resistieron las pretensiones expansionistas de Texas y se oponían a formar parte de Estados Unidos, su vinculación con México era en verdad cada vez más tenue, cada día más complicada. Con todo, en Nuevo México nunca cuajó la idea de independizarse.

En la Alta California, en cambio, los pobladores se debatían entre tres escenarios posibles: el logro de

Los Estados Unidos de México, 1824

Misión de San Diego, Alta California

En el abandono total

Estamos rodeados por todos lados... por muchas tribus de bárbaros despiadados, estamos por morir; y nuestros hermanos en vez de ayudarnos están enfrascados en una lucha sin cuartel en sus enconadas guerras civiles.

Mariano Chávez. Nuevo México. 1844

David J. Weber. *La frontera norte de México, 1821-1846*

una mayor autonomía, la independencia total o el establecimiento de alianzas con alguna potencia europea. Nunca llegaron a ponerse de acuerdo y estaban al borde de la guerra civil cuando se dio la invasión norteamericana.

El pretexto para la declaración de guerra fue la negativa de México a aceptar la incorporación de Texas a la Unión Americana y el consiguiente rompimiento de relaciones. El 13 de mayo de 1946 el presidente de Estados Unidos, James K. Polk, firmó un decreto donde declaraba que "Por actos de la República de México existe un estado de guerra entre ese gobierno y los Estados Unidos". El conflicto duró dos años, con el desenlace conocido. El 2 de febrero de 1848 se celebró el tratado de paz, amistad y límites conocido como Guadalupe Hidalgo. Sólo faltaba un último trozo: La Mesilla, que Santa Anna se encargó de vender. El lejano norte se convirtió desde entonces en el lejano oeste.

Las rutas que estrenó el ferrocarril

La década de los ochenta del siglo pasado marcó una opción definitiva: el desplazamiento del impulso ferrocarrilero hacia el norte del país, hacia las entonces lejanas y pequeñas poblaciones de la frontera donde los trenes podían enlazarse con la amplia y densa red de ferrocarriles que se tejía en Estados Unidos. Así, en pocos años se concluyeron dos líneas troncales claves: en el bienio 1882-1884 vecinos y principales de Querétaro, Guanajuato, Jalisco, Aguascalientes, Zacatecas, Coahuila y Chihuahua asistieron a las fiestas –"como no las había habido nunca"–, que celebraron la construcción de la vía del Ferrocarril Central Mexicano, que en su recorrido de 1 970 km estrenó la comunicación

entre la ciudad de México y la estación Paso del Norte, hoy Ciudad Juárez, en Chihuahua en 1884. En 1888 se dio luz verde a la vía troncal de 1 351 km del Ferrocarril Nacional Mexicano que inició el servicio entre la capital del país y la frontera en Nuevo Laredo, Tamaulipas a través de poblaciones del Estado de México, Guanajuato, San Luis Potosí, Coahuila y Nuevo León. Hacia ambas vías troncales empezaron a confluir ramales y rutas secundarias de localidades que no querían quedar al margen de esa novedad

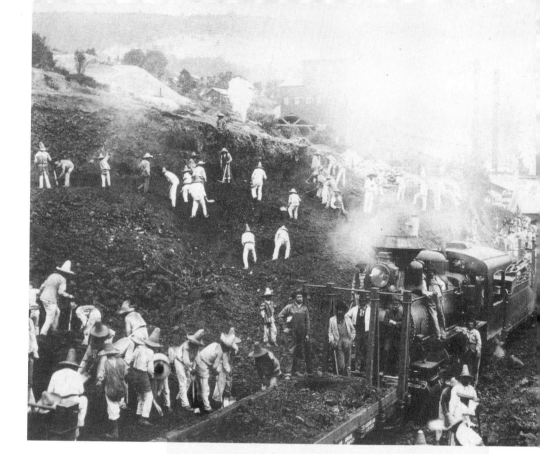

tecnológica que auguraba nuevos y, con suerte, mejores tiempos. En 1883, Morelia –la capital michoacana–, se conectó, vía Acámbaro y Celaya, con la línea troncal del Ferrocarril Central Mexicano y en 1888 se estrenó la comunicación entre Irapuato y Guadalajara. Ambos ramales hicieron posible la comunicación de la franja del Pacífico y el occidente con el centro del país y la frontera norte.

En principio, el impulso ferroviario buscaba favorecer el desplazamiento de productos hacia Estados Unidos, cuya economía ya podía presumir de ser una de las más ricas y dinámicas del mundo. Sin embargo, los efectos fueron mucho más allá de lo imaginable. Hoy en día sabemos que el ferrocarril

hizo posible el surgimiento de un mercado en verdad nacional, que animó la puesta en marcha de quehaceres novedosos en ámbitos inesperados; que contribuyó, a fin de cuentas, a la aparición de una geografía nacional nueva y distinta de la heredada del prolongado período colonial.

Pero no sólo eso. El ferrocarril impactó, como nada antes, las posibilida-

LA MAQUINITA

Corre, corre, maquinita; corre por esa ladera,
parece que voy llegando a orillas de la frontera.
Adiós parientes y hermanos. Adiós a todos mis amigos.
¡Quédense! Adiós, ya me voy a los Estados Unidos.
De Parras pasé a Chihuahua hasta que llegué a Juárez,
y al día siguiente salí a visitar sus ramales.
Trabajé en el traque, me dieron mi provisión,
desde allí me jui bajando, estación por estación.

María Herrera Sobeck. *The Bracero Experience*. UCLA, 1979

des de movilidad de una población tradicionalmente confinada a sus espacios de origen. Una de ellas fue la posibilidad de desplazarse hasta la frontera norte, de incursionar en el otro lado. La oportunidad tuvo algo de fortuita. En 1882, una oleada de racismo que se plasmó en la Ley de Exclusión China canceló la llegada de trabajadores de esa nacionalidad a Estados Unidos, situación que generó una amplia demanda de operarios en dos nichos laborales habitualmente cubiertos por esa población: los trabajos del ferrocarril y la agricultura.

Pero no todo fue casualidad. La demanda de mano de obra para la construcción y los servicios ferroviarios en México y en Estados Unidos hicieron confluir a trabajadores de ambos países en una misma actividad, en oficios similares. Ahí, entre rieles, andenes, vagones y locomotoras, comenzó a forjarse lo que parece haber sido el primer mercado de trabajo binacional y un ámbito de luchas sociales, a veces conjuntas, a veces en pugna.

La migración tuvo desde el principio una espacialidad definida, lugares de origen y destino particulares en ambos lados de la frontera. La noticia de que al otro lado había empleo y se pagaban relativamente buenos salarios cundió como la humedad por pueblos y rancherías del centro-occidente, región que quedó expuesta al mayor tráfico ferrocarrilero y era al mismo tiempo donde se pagaban los peores salarios del país en ese momento. Así, las rutas de penetración del ferrocarril se convirtieron en las principales vías de salida de gente, de tal modo que los primeros migrantes eran originarios de los estados de Michoacán, Guanajuato, Jalisco, Zacatecas. Muy pronto, las autoridades de cada estado se dieron cuenta de la sangría de vecinos y constataron azorados la irreparable ambigüedad del asunto: de un lado, la llegada de dinero para las familias y las localidades y el desarrollo del espíritu de trabajo o empresa entre los migrantes; del otro, la pérdida de brazos para las actividades locales y el incremento de actitudes

agresivas, en ocasiones casi en la frontera de la delincuencia, de los que llevaban varios meses de trabajo al otro lado. La otra cantera de migrantes era el norte fronterizo: Nuevo León, Chihuahua, Coahuila, San Luis Potosí, Tamaulipas. En 1900 se calculaba que había 103 393 inmigrantes mexicanos en Estados Unidos, cantidad que se duplicó en los siguientes diez años: en 1910 se registraron 219 802 personas definidas como blancas nacidas en México que vivían en el otro lado.

A la inmensa mayoría de los migrantes (96.76%) se les podía encontrar en siete estados norteamericanos donde prosperaban los quehaceres agropecuarios y mineros o eran centros ferroviarios de importancia donde se necesitaba mucha mano de obra en calidad de trabajadores de bajo costo, aparentemente no calificados: más de la mitad estaba en Texas (56.53 por ciento), en menor proporción en California (15.22), Arizona (13.40), Nuevo Mexico (5.42), Kansas (3.83), Oklahoma (1.20) y Colorado (1.16).

Es decir, los migrantes habían salido de dos grandes áreas del país y en el otro lado se concentraban en los dinámicos estados fronterizos del suroeste con cuyas poblaciones había mayor afinidad cultural y desde donde se sentía quizá más próxima la patria, la posibilidad del retorno a México, la ilusión de todo migrante.

En busca del zinc

En los primeros años de la década de 1900 la gente migró de México a Oklahoma siguiendo el trabajo del "zinc" porque eran fundidores. Los hermanos de mi madre, Ponciano y Cuco Ramírez, fueron de los primeros en asentarse ahí. Ellos trabajaban como fundidores y además tenían una casa de huéspedes.

México estaba en serios problemas políticos en 1916. Como a Ponciano y Cuco les iba bien en Oklahoma enviaron por María, su madre, y por Josefina y Bruna, sus hermanas. En la frontera, Pancho Villa abordó el tren en que viajaban y, caminando a lo largo de los vagones, le preguntaba a la gente por su destino. Mamá estaba asustada y tenía miedo de decirle que se iban del país. La abuela le platicó de sus hijos que estaban en Estados Unidos y le habían pedido que se reuniera con ellos. Pancho Villa comentó lo afortunada que era por tener hijos que no la abandonaban. Villa dejó que el tren siguiera. Este era el recuerdo más importante de la vida de mi madre.

Tillie López Medina

Indiana Harbor, (East Chicago)

La cuerda y el enganche

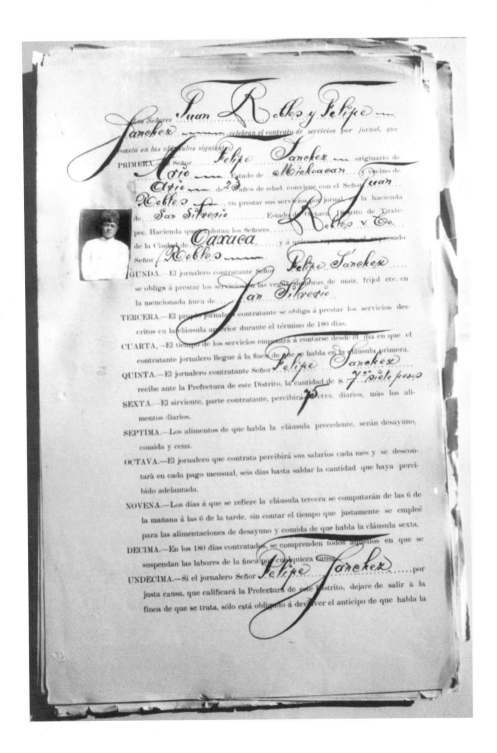

Durante el siglo XIX hubo una tensión permanente entre las añosas formas coloniales de acceder a la mano de obra y las modalidades de empleo que surgieron a partir de la Independencia, con el fin de la esclavitud y la difusión del sistema capitalista. Entre los extremos de una mano de obra esclava y la libertad para contratarse se eslabonaron una serie de modalidades, de maneras de conseguir y fijar a la fuerza de trabajo.

El mercado de trabajo decimonónico se caracterizó por severos desajustes regionales: por un lado, una limitada oferta de mano de obra para ciertos sectores de la economía y, por otro, la persistencia de prácticas laborales basadas en el endeudamiento que limitaban la movilidad de

los trabajadores. Allí donde las leyes del mercado no garantizaban todavía la fluidez entre la oferta y la demanda de trabajadores la cuerda y el enganche se convirtieron en los últimos eslabones del penoso proceso hacia la proletarización definitiva.

El enganche utilizaba el adelanto –dinero a cuenta de trabajo futuro– como gancho para cerrar la relación laboral. De reclutar y comprometer, de trasladar y entregar a los trabajadores en su lugar de destino se encargaba el enganchador, personaje tan memorable como despreciable, que se hizo famoso por su crueldad y por recurrir sin remordimiento a "la cuerda". Esta modalidad, que se usaba también en la leva de soldados, consistía en llevarse amarrados y custodiados a los trabajadores apenas contratados. Los abusos de los enganchadores obligaron a las autoridades a imponer reglamentos y exigir contratos de trabajo como sucedió en 1906 en Zamora, Michoacán.

El enganche y la cuerda surgieron como mecanismos de regulación, de intermediación entre una demanda vigorosa pero estacional de trabajadores y una oferta atrincherada en regiones alejadas de los nuevos centros de trabajo y más bien reticente a incorporarse a labores que suponían ausentarse del terruño, soportar climas adversos, trabajar intensamente en quehaceres desconocidos.

Así, el enganche probó su eficacia para el traslado de trabajadores a lugares alejados, despoblados, por lo regular también inhóspitos, donde surgía la prosperidad de fin de siglo: plantaciones, centros mineros, ferrocarriles. Al parecer, las empresas enganchadoras preferían desplazar a los trabajadores a regiones muy alejadas de sus terruños. Los finqueros guatemaltecos, por ejemplo, recurrían a

La cuerda

Eran las 12 y media de la noche del jueves 8 de mayo de 1902. Por la calle López Cotilla y hacia el occidente se percibía un sordo y confuso rumor cuyo origen no era fácil adivinar, momentos después, el oído percibía gritos apagados, llanto a voz en cuello, maldiciones, etcétera, y a poco la luz de los focos eléctricos mostraba grupos de hombres y mujeres que se movían en desorden, avanzando hacia el centro de la ciudad. Quien de esto era espectador, no poco alarmado, retrocedió y a las primeras personas avanzadas, hombres y mujeres que encontró, preguntóles por la causa de tan inusitado movimiento y terror. "Qué ha de ser señor, la cuerda", contestó uno de ellos azorado y sin detener su carrera. En efecto, segundos después el paso acompasado de mucha gente y el rumor de voces de mando anunció la presencia de un piquete de tropa que desembocaba por la avenida Colón dirigiéndose a paso de carga hacia la Estación Central. El grupo de soldados era del 27º batallón que encerraba dentro de sus filas a unos 200 hombres que, sujetados con cuerdas por los brazos y manos, eran conducidos como rebaño de corderos hacia la Estación. Llegué a ese lugar precedido de multitud de mujeres que, con niños en los brazos, lanzaban gemidos de dolor desgarradores, pretendiendo en vano ver por última vez a lo que pocas horas después debía arrebatar el tren para ser trasladados a regiones ignoradas.

La Libertad, 11 de mayo de 1902
Guadalajara, Jalisco

enganchadores mexicanos para conseguir peones, en este caso chichimecas, de tierras tan lejanas como San Luis de la Paz, al norte del estado de Guanajuato. Los enganchadores recorrían el rumbo de Zamora, Michoacán en busca de gente para las fincas de Chiapas, las vegas de Veracruz y Campeche, los campos de Oaxaca.

Las empresas mineras también apelaban al enganche. Así llegaron, vía Guaymas, indios yaquis contratados por la compañía El Boleo para trabajar en el campo minero ubicado en un páramo desolado de la península de Baja California.

Otro ámbito de esta actividad fue, sin duda, el ferrocarril. En 1902, hubo

enganche de jaliscienses para los trabajos del Ferrocarril Central en el Istmo de Tehuantepec y para "los trabajos del ferrocarril de Veracruz y el Pacífico". Grandes cartelones pegados en calles de Guadalajara anunciaron la oferta de trabajo para "tres mil hombres que quisieran engancharse" para ir a trabajar a la línea del ferrocarril de Córdoba y del Pacífico.

DE MICHOACÁN A OAXACA

Salen "...Setenta y cuatro jornaleros contratados mediante la observancia de los reglamentos del caso, para prestar sus servicios por jornal, en la hacienda de San Juan del Río, distrito de Tuxtepec, del estado de Oaxaca, hacienda que en gran escala se dedica al cultivo del tabaco y de cereales. Cada jornalero va a ganar cincuenta centavos diarios, se le darán alimentos, desayuno, comida y cena; tendrán asistencia médica gratis en caso de necesidad y los gastos de transporte de ida y vuelta serán por cuenta de la finca".

El Heraldo de Zamora, 29 de septiembre de 1907
Zamora, Michoacán

La demanda de brazos y la oferta del buen jornal

Al C. Secretario de Gobierno
Morelia

Como consta a esa superioridad cada año aumenta la emigración de trabajadores de este Distrito a los Estados Unidos del Norte América; principalmente de los habitantes de Purépero, Tlazazalca, Chilchota y Tangancícuaro.

La prensa ha juzgado perjudicial a los braceros mexicanos pues se ha afirmado en mil formas que en aquella tierra extranjera son víctimas del despotismo yanqui, de que se les da mal trato y de que no se les cumplen las ofertas y no se les hace la debida remuneración a los servicios que prestan.

Más sin embargo, la corriente de emigración, repito, aumenta cada año de tal manera que hay poblaciones como Purépero que se quedan casi sin hombres trabajadores; y varias haciendas y ranchos que son abandonadas a causa de la emigración, con perjuicio indudablemente de la agricultura local.

Como juzga la Prefectura que esa corriente de emigración lejos de disminuir o extinguirse ha de aumentar considerablemente, haciéndose general, porque existen la demanda de brazos y la oferta del buen jornal, es de parecer, salvo la opinión más ilustrada del C. Gobernador, que debería el mismo Ejecutivo y la Legislatura ocuparse seriamente de él, haciendo que los hacendados michoacanos mejoren la condición del jornal, estableciendo la competencia relativa que es el único medio de evitar las consecuencias que se indican.

Zamora, Mich., 3 de febrero de 1907
El Prefecto

Los reenganches

The C. Campa Labor Agency & W.J. Lewis, of the Alamo City Employment Agency, distributing brea...

Dos coyunturas hicieron que los empleadores norteamericanos se interesaran por la mano de obra mexicana: una ley de inmigración que concluyó con la importación de mano de obra china –que, en consecuencia, provocó una grave escasez de trabajadores– y la conexión del Ferrocarril Central con la red estadounidense que acercó, como nunca antes, a los mexicanos al gran espacio del norte y a la influencia del mercado de trabajo del otro lado.

Había, por tanto, demanda de trabajadores y medios para transportarlos. Sólo faltaba llegar hasta sus casas y contratarlos. Ya había experiencia al respecto. Las empresas contratistas norteamericanas recurrieron a la bien conocida práctica del enganche para conducir a los trabajadores hacia el norte. La demanda insaciable de brazos condujo a los trabajadores mexicanos hasta los últimos rincones de la Unión Americana, pero sobre todo hacia Texas, Arizona, California, Nuevo México, Wisconsin, Louisiana, Nueva York, Nebraska, Colorado, Missouri, Illinois. Allí se les podía encontrar en los trabajos de las minas, ferrocarriles, carreteras, empacadoras y fundidoras, pero sobre todo, en las labores del campo que

"Las Agencias C. Campa y W. I. Lewis, de Alamo City, distribuyen pan todos los días a los mexicanos que están en necesidad y esperan trabajo"

empezaron a depender de la mano de obra mexicana y de las compañías enganchadoras.

A comienzos de siglo eran los mismos enganchadores los que se adentraban en el territorio nacional en busca de trabajadores, pero muy pronto encontraron resistencia de parte de las autoridades mexicanas. Desde la franja fronteriza y la capital del país se apremiaba a las autoridades estatales y municipales a difundir las penurias que pasaban los emigrados, a negar el otorgamiento de pasaportes o cartas de recomendación para las compañías contratistas. Cuando el presidente municipal de Ixtlán, Michoacán, informó que habían salido 30 individuos rumbo al norte en busca de trabajo, la Secretaría de Gobernación le indicó que se limitara a "...hacer conocer la situación precaria por la que atraviesan los obreros mexicanos en la ciudad de El Paso, en donde se les impide atravesar a territorio americano, por determinarlo así la oficina americana de inmigración; pero no impida usted la emigración, sino sólo en los casos en que se trate de enganches con infracción al reglamen-

Agencia de Colocaciones y Negocios.

Calle de St. Louis, 306½

CASA DE JOHN WOODS   APARTADO POSTAL 128

Esta agencia, abierta desde hoy, se encarga del arreglo de toda clase de negocios, y particularme de los que siguen:

1° Conseguir colocacion para criados, dependientes cobradores, etc.

2° Proporcionar dependientes y criados á los ferrocarriles y á las personas que lo soliciten.

3° Redactar cartas y documentos de todas clases en espanol.

4° Sacar certificados y cartas del correo y del Express, para lo cual cuenta la agencia con la fianza necesaria.

5° Hacer traducciones del Ingles al Espanol y vice versa.

6° Servir suscriciones á los periodicos de Mexico y encargar libros en espanol, segun ordenes.

7° Hacer la venta de objetos muebles y prodiedades raices que se le encarguen con tal objeto, pues tiene relaciones con una de las mejores agencias de terrenos en la ciudad.

8° Expeditar asuntos judiciales y administrativos, contando para ello con un abogado y un notario publico, y

9° Desempeñar cualquiera otra mision que requiera confianza y eficacia.

Horas de Oficina:
De 8 a 12 M.
y 1 a 5 P. M.

ZAVALA & CO.

Las Noticias, *El Paso*, 1889.

to respectivo..." (AMZ, Gobernación, 5 de abril de 1910).

A pesar de las buenas intenciones, en ambos lados de la frontera había fuerzas poderosas que impulsaban la emigración. En México, la revolución fue un catalizador que avivó la necesidad de emigrar; en Estados Unidos, la escasez de mano de obra como consecuencia de su ingreso en la primera guerra mundial aceleró la demanda de trabajadores mexicanos, sus vecinos más accesibles.

De este modo, durante la revolución los contratistas no tuvieron necesidad de ir a buscar trabajadores que llegaban por su cuenta y riesgo hasta la frontera. Esto hizo que las agencias contratistas se instalaran en ciudades como El Paso y San Antonio, desde donde los embarcaban hacia los diferentes centros de trabajo en Estados Unidos. Agencias como la de C. Campa y W. J. Lewis, denominada Oficina de Enganches de Braceros Mexicanos, tenían su base en San Antonio, Texas pero contrataban trabajadores con "salidas a todas partes de Estados Unidos". Esta agencia se ufanaba de "distribuir pan tres veces al día" a los mexicanos que "pasaban penurias" mientras esperaban que los enviaran a algún lugar. Además del enganche, las oficinas solían ofrecer servicios adjuntos como cambio de moneda, venta de giros para "todas partes en la República Mexicana", barbería, baños y venta de periódicos mexicanos.

La Burlington Route de Kansas City que no cobraba "...chanza por el enganche...", es decir, comisión, ofrecía trabajo en el ferrocarril a mexicanos que fueran acompañados por sus familias. Para ello brindaba "...carro, estufa y carbón..." enteramente gratis, además de que se les daría "...a los trabajadores y familias tierra para que siembren...". El trabajador podía incluso escoger su lugar de destino: Illinois, Wisconsin, Iowa, Missouri, Nebraska, Colorado, Dakota del Sur, Montana y Wyoming.

La contratación en tierras americanas era similar a la modalidad mexicana y los resultados similares: incumplimiento de promesas o contratos, cambio de lugares de destino, modificación de las tareas pactadas, ampliación de las horas de trabajo,

¡VENID! ¡VENID! ¡VENID!
¡TRABAJADORES MEXICANOS!
Visiten nuestra Oficina en
Main St. 512. Kansas City, Mo.

La Agencia de Trabajo del Ferrocarril C. B. & Q. R. R., proporcionará a Usted trabajo en Illinois, Iowa, Misosouri, Wisconsin, Nebraska, South Dakota, Montana, Wyoming y Colorado, con pase libre sin costo alguno. Secciones o Campos.

No se cobra chanza. Pasaje gratis. Pase de regreso. ¿Por qué trabajar por menos de lo que paga el Burlington?

AGENCIA DE TRABAJO DEL C. B. & Q. R. R.
512 Main Street. - - Kansas City, Mo.

CORRIDO DEL ENGANCHADO

El 28 de febrero,
aquel día tan señalado,
cuando salimos de El Paso
nos sacaron reenganchados.

Cuando salimos de El Paso,
a las dos de la mañana,
le pregunté al reenganchista
si vamos para Louisiana.

Llegamos a La Laguna
sin esperanza ninguna,
le pregunté al reenganchista
si vamos para "Oclajuma".

Manuel Gamio. *The Mexican Inmigration to the United States*

Vagón confiscado por revolucionarios

ENORMES GANANCIAS EN ARRENDAMIENTOS de Terrenos Petrolíferos
MILES HAN HECHO SU FORTUNA.
¿Por qué no la puede Usted hacer?

Sólo hace unos cuantos días que la Compañía Petrolífera "FORTUNA" recibió un cheque por la cantidad de UN MILLON DE PESOS, en pago de un arrendamiento por el que sólo había pagado CUATROCIENTOS PESOS.

Organice Ud. una compañía entre sus amigos. Hágase de un buen arrendamiento en uno de los pequeños terrenos DONDE PUEDE Cd. ENCONTRAR CON SEGURIDAD PETROLEO. Perfore Ud. por su cuenta ó conserve su contrato mientras que otras empresas ponen en explotación los terrenos contiguos. ESTA ES LA MANERA DE HACER FORTUNA.

Poseemos varios terrenos de primera clase en el mejor distrito petrolífero de Kansas y Oklahoma. LE PROPORCIONAMOS LA OPORTUNIDA PARA HACERSE RICO EN POCO TIEMPO. Si dispone Ud. de algun dinero o tiene amigos que se asocien a Ud. escríbanos pidiéndonos particulares respecto a esta PROPOSICIÓN PARA HACER DINERO EN NEGOCIOS PETROLÍFEROS EN LOS MEJORES CAMPOS QUE SE CONOCEN. Terrenos de 40, 80 y 160 acres a razón de $3.00 por acre y terrenos. Dirigirse a JACK DANCIGER, Gerente del Departamento Petrolífero.

DANCIGER BROTHERS 404-405-406-407 RIDGE ARCADE BLDG. KANSAS CITY MO.

sistema de endeudamiento, pago en especie y, para colmo de males, discriminación racial. La única diferencia efectiva entre trabajar dentro o fuera del país era el salario.

Con todo, las autoridades mexicanas no se cansaban de advertir sobre los "...enganchadores norteamericanos que contratan verbalmente a braceros a fin de llevarlos a los Estados Unidos haciéndoles promesas halagadoras que finalmente no cumplen..." (AMZ, Gob., 11 de marzo de 1918). De hecho, en la década de los veinte, la Secretaría de Gobernación ordenó "...a los agentes de Migración de las fronteras que por ningún concepto permitan la entrada de enganchadores americanos a territorio nacional…"; decía, en su edición del 20 de febrero de 1921, el diario *El Bajío* de León, Guanajuato, una tierra de migrantes.

Lo más novedoso del sistema en Estados Unidos fue el reenganche, es decir, la posibilidad de la recontratación inmediata. Al terminar un compromiso laboral, el trabajador quedaba libre, lo que le permitía volver a contratarse para otra actividad, para otro lugar. Así, se hizo costumbre que los enganchadores, al final de cada temporada, acudieran a los centros de trabajo para recontratar jornaleros y obreros. En cierto modo, el reenganche resultaba conveniente para los trabajadores que podían establecer una cadena de contratos que los desplazaba de un lugar a otro sin tener que regresar a la frontera a ser contratados con lo cual se ahorraban gastos de transporte y evitaban los días muertos,

sin trabajo y sin ingresos.

El reenganche tenía, desde luego, su lado oscuro. En la práctica, fomentaba dos modalidades que se consideraban ilegales: el pirateo de trabajadores y la deserción de las empresas. Para luchar contra la primera se recurrió a la vía legal y la contratación de abogados; para evitar la deserción, los granjeros solían tener guardias armados.

LOS REENGANCHADOS

Allí mi padre trabajaba como peón en la Atchison, Topeka, and Santa Fe Railroad Company. Descontentos, seguimos migrando como *enganchados* contratados como peones agrícolas. Viajamos hacia el norte en tren y sólo comimos sandwiches de salchichón durante el viaje. Trabajamos en los campos de remolacha en Augusta, Minnesota. Accidentalmente, mi hermana se cortó el pulgar con un machete que se usaba para separar la parte verde del resto de la remolacha. Los niños sufrían y temían cambiarse. Cuando terminó el contrato en 1926 viajamos en carro a Chicago, Illinois. Desafortunadamente, nuestra madre se enfermó gravemente en el camino y tuvimos que quedarnos un año en Chicago.

Juanita y Arnold Vasquez. *Señoras of Yesteryear*

"RUMBO A OTROS TERRENOS"

El Cosmopolita, *1916*

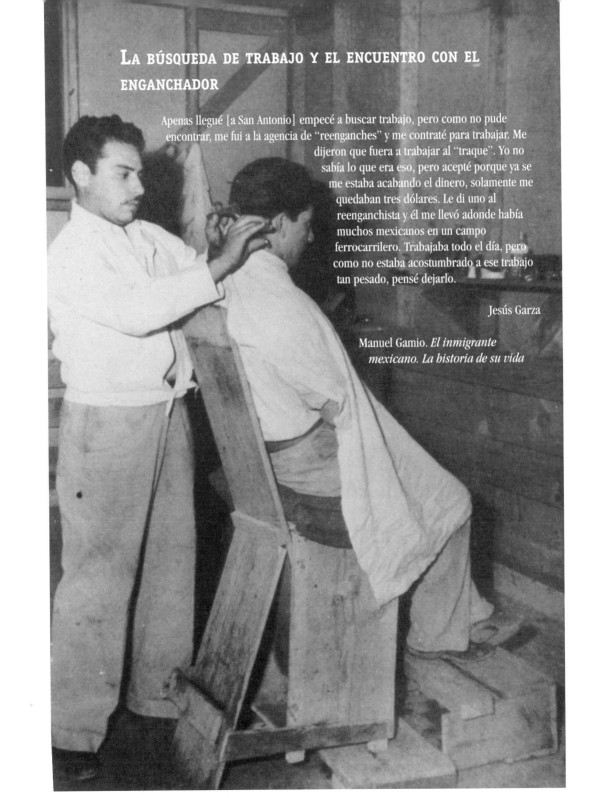

LA BÚSQUEDA DE TRABAJO Y EL ENCUENTRO CON EL ENGANCHADOR

Apenas llegué [a San Antonio] empecé a buscar trabajo, pero como no pude encontrar, me fui a la agencia de "reenganches" y me contraté para trabajar. Me dijeron que fuera a trabajar al "traque". Yo no sabía lo que era eso, pero acepté porque ya se me estaba acabando el dinero, solamente me quedaban tres dólares. Le di uno al reenganchista y él me llevó adonde había muchos mexicanos en un campo ferrocarrilero. Trabajaba todo el día, pero como no estaba acostumbrado a ese trabajo tan pesado, pensé dejarlo.

Jesús Garza

Manuel Gamio. *El inmigrante mexicano. La historia de su vida*

El paso por El Paso

Seguramente pocas poblaciones pueden justificar su nombre a lo largo de tanto tiempo como El Paso. Justo ahí, el Río Grande serpentea y forma un valle fértil entre montañas abruptas y mesetas áridas lo que hizo que desde la época colonial los españoles apreciaran el lugar y establecieran un asentamiento que primero fue misión y poco después también presidio. Siglos más tarde, la Southern Pacific reforzó ese paso cuando decidió que la vía del ferrocarril Los Angeles-San Antonio atravesara exactamente por ahí. No fue la única. En la década de los ochenta del siglo pasado confluyeron en El Paso los trenes de cuatro grandes compañías que tejían febrilmente la tupida red ferrocarrilera que vinculaba, por fin, todos los puntos cardinales de la geografía norteamericana.

Tal confluencia en El Paso impulsó otra. En 1884, la estación Paso del Norte, Chihuahua, recibió al primer tren del Ferrocarril Central Mexicano que estrenó la conexión entre la ciudad de México y la frontera norte, donde los vagones podían enganchar-

*Casa del inmigrante,
Ciudad Juárez, 1920*

se a los ferrocarriles de Atchinson-Topeka-Santa Fe, Southern Pacific, Texas-Pacific y Galveston-Harrisburg-San Antonio. En 1888, la población de Paso del Norte recibió el título de ciudad y el nombre de Ciudad Juárez y el viejísimo nombre de El Paso se quedó en Texas.

La convergencia de las redes ferrocarrileras norte-americanas y mexicana en el estado de Chihuahua parecería haber desplazado hacia el centro el dinamismo de la comunicación fronteriza que antes se realizaba a través de poblaciones de los estados de Coahuila y Tamaulipas: Ciudad Acuña y Piedras Negras, Nuevo Laredo, Camargo, Reynosa y Matamoros. En 1904, cuando Estados Unidos empezó a registrar el movimiento de pasajeros por tierra, se supo que por Eagle Pass habían ingresado 340 personas y otras 481, por El Paso.

Ciudad Juárez y su contraparte del otro lado cumplieron las expectativas de ambos países. La ciudad de El Paso se desarrolló como centro ferroviario, industrial y distribuidor clave lo que la convirtió en "la reina de las ciudades del suroeste". Ciudad Juárez no

se quedó atrás. Muy pronto era un centro comercial de primer orden para el tráfico de productos, sobre todo agrícolas y ganaderos, entre los dos lados de la frontera. Por una u otra cosa, ambas se convirtieron también en tierra de acogida o lugar de paso para las primeras oleadas de migrantes a Estados Unidos. El Paso fue el Ellis Island de los inmigrantes que llegaron del sur.

De hecho, hasta los años treinta esa ciudad fue el centro indiscutible de contratación de trabajadores baratos para la economía norteamericana. Por allí cruzaban la frontera sin mayor problema los candidatos a migrantes que rápidamente eran reconocidos y reclutados por los enganchadores que los enviaban sobre todo a las granjas, más tarde también a las fundidoras, minas y ciudades del suroeste. También llegaban a esa ciudad los migrantes de regreso, los que buscaban reengancharse. El Paso fue lugar de encuentros y desencuentros.

Para conjurar el olvido los migrantes de paso, solían aprovechar la ocasión para fotografiarse y enviar su "efigie" a parientes y amores. Hacerlo era una auténtica creación: muy bien arreglados, en ocasiones con ropa rentada, se tomaban varias fotografías en una misma sesión, aunque en distinta pose, para enviarlas a los parientes sin que se repitieran demasiado. Son fotos de estudio, tomadas en interiores escenográficos: nada de mostrar las penurias del trabajo, de dejar que el rostro trasluzca la tristeza de la ausencia. Por el contrario. Había que lucir lo mejor posible: ropa moderna, bien peinados y rasurados, seguros y contentos; la viva imagen del migrante exitoso.

LA ESPERA EN CIUDAD JUÁREZ
1926

Tan pronto como llegaron a esta ciudad, trataron de cruzar hacia El Paso, Texas, pero como no tenían ni un centavo, no pudieron entrar legalmente, ni conseguir a nadie que los pasara ilegalmente, por lo cual decidieron quedarse en Ciudad Juárez, hasta que pudieran ganar algún dinero para trasladarse a El Paso, pues están seguros de que allá encontrarían trabajo y una vida mejor que la que tienen ahora.

Elisa Recinos

Manuel Gamio. *El inmigrante mexicano. La historia de su vida*

Así, entre los que iban y venían, Ciudad Juárez con sus 8 218 habitantes era, a la vuelta del siglo, la principal población fronteriza de México. En 1910, cuando apenas comenzaba a insinuarse la revolución, El Paso y Ciudad Juárez reunían a más de veinte mil mexicanos (22 918 para ser exactos), de los cuales, 10 621 se ubicaban en Ciudad Juárez y 12 297 en El Paso. Una década más tarde esa cifra se duplicó: había 50 046 compatriotas en ambas poblaciones. Pero no sólo eso. Como secuela de la revolución se modificó la proporción en uno y otro lado: en 1920 había 19 457 habitantes en Ciudad Juárez y 30 589 mexicanos en El Paso. De hecho, esta última fue tierra de exilio político tanto para familias favorecidas por el régimen porfirista, como para hombres de la revolución que desde ahí podían dar o recibir apoyo de México.

EL BURRITO
Restaurant

Huntington
Park
6900 Rita Avenue
Tlf.: 588-3550

ESPECIALIDAD DE LA CASA
Pregunte por
EL PLATO DE CHORIZO
ESPAÑOL CON HUEVOS
... UMMMM... Exquisito!

DE AQUÍ PARA ALLÁ

De ahí me fui a Ciudad Juárez y después a El Paso. Ahí me contraté para trabajar en los caminos. Realicé este trabajo en varios campos hasta que llegué a California. Después algún tiempo permanecí en Los Angeles trabajando en el cemento, aunque este es un trabajo muy duro. De ahí me fui a Kansas y también estuve en Oklahoma y en Texas, trabajando siempre en los ferrocarriles. Pero el clima de esos lugares no me sentó bien y por eso me fui a Arizona.

Pablo Mares, 1926

Manuel Gamio. *El inmigrante mexicano. La historia de su vida*

La frontera en tiempos de revolución

CARTA DE HUERTA A VILLA.

Mi querido Villa: Siento que te hayas pegado chasco. He sido inesperada e indefinidamente detenido como huésped del Departamento de Justicia de los Estados Unidos.—Muy amorosamente, HUERTA.—Fort Bliss, Tex. E. U. A.

El Cosmopolita, *1915*

Durante la década 1910-1920 la frontera de México con Estados Unidos fue testigo y escenario de algunas cruentas batallas, desplazamientos de tropas y ferrocarriles, tráfico de parque e incursiones armadas.

El lado norteamericano se convirtió en un mirador privilegiado para observar y oír noticias acerca de la revolución que asolaba a los vecinos del sur. Por ahí transitaron sin cesar un sinfín de fotógrafos, cineastas, periodistas, reporteros y curiosos. En ese lugar se hizo rico y famoso el fotógrafo norteamericano Walter H. Horne que vendía, como primicias convertidas en postales, las imágenes de muertos, heridos, fusilados y decapitados. Tanta agitación y movimiento de gente hizo prosperar el comercio y el contrabando, las cantinas y los burdeles.

De hecho, la frontera norte jugó un papel clave en la Revolución mexicana. En esa zona se fraguó la revuelta, se disputó el control de las ciudades fronterizas, se negoció el apoyo y el reconocimiento de los norteamericanos. Fue, además, la puerta de

En arreglos de paz.
El que quede al último será el jefe.

El Cosmopolita, *1915*

entrada para los fugitivos que se convirtieron en refugiados o trabajadores migrantes; para los asilados de todos los bandos políticos; para los negociadores y diplomáticos de cada una de las facciones en pugna.

El estado de Texas –en especial la ciudad de San Antonio– fue tierra de acogida o lugar de maniobras para todo tipo de conspiraciones. Hasta ahí llegaron como asilados, en 1904, los hermanos Enrique y Ricardo Flores Magón que muy pronto iniciaron la publicación del periódico radical *Regeneración*. Desde ese lugar, en 1910, don Francisco I. Madero partió a tomar Ciudad Juárez. En el edificio de la aduana de esa ciudad, declarado Palacio Nacional, Madero instaló un gobierno y designó gabinete. Desde Texas, el general Bernardo Reyes, eterno aspirante a la presidencia de la República, conspiró contra el gobierno de Madero y en 1911 pretendió entrar, al frente de sus huestes armadas, a territorio mexicano por Laredo. En 1920, San Antonio era la ciudad norteamericana que reunía más población mexicana: 28 477 almas que representaban más de las dos terceras partes de la población total de la ciudad (77.3 por ciento).

Las batallas por el control de las ciudades fronterizas fueron cruentas y vitales para los diferentes bandos. En mayo de 1911, mientras Pascual Orozco atacaba Ciudad Juárez, del otro lado del río Bravo la

La toma de Ciudad Juárez

La toma de Ciudad Juárez
México está muy contento,
dando gracias a millares
empezaré por Durango,
Torreón y Ciudad de Juárez
donde se ha visto correr
sangre de federales.

Muchachas de Ciudad Juárez
se vieron muy azoradas
de verse en tantas batidas,
de verse en tantas batallas,
de ver a los maderistas
componiendo sus metrallas

gente veía y seguía fascinada las maniobras de la batalla. La curiosidad cobró víctimas: cuatro bajas y nueve espectadores heridos del lado texano. Cada vez que empezaba un tiroteo en Ciudad Juárez alguna bala perdida hacía blanco más allá de la frontera, lo que varias veces estuvo a punto de desencadenar una intervención norteamericana.

Otro tanto sucedió en Naco, Sonora, en diciembre de 1914, durante la batalla entre carrancistas y villistas que duró 114 días. Las balas y petardos que pasaron la línea ocasionaron 53 víctimas entre heridos y muertos. Finalmente, el diálogo de Villa con Hugh Scott, en El Paso, el 10 de enero de 1915, dio por terminado el conflicto y Naco se convirtió en territorio neutral.

Meses después, el 1 de noviembre de 1915, las tropas de Villa libraron una batalla decisiva contra los carrancistas en Agua Prieta, Sonora, población vecina de Douglas, Arizona. Cuando la batalla aún no se decidía, los carrancistas recibieron el refuerzo de 3 000 hombres que penetraron, con autorización, desde el territorio norteamericano. Así los carrancistas acabaron con la famosa División del Norte y Francisco Villa juró vengarse, lo que cumplió poco después en Columbus.

Entretanto, el pueblo huía, como podía, hacia Estados Unidos. Cientos

Nos hicimos de palabras

AMERICANS AND INSSURECTOS AT RÍO GRANDE

...Tuve que venirme a los Estados Unidos porque era imposible vivir allá con tantas revoluciones. Una vez estuve a punto de que me mataran los revolucionarios. Habían tomado el pueblo y un sargento o uno de los que mandaban a los soldados fue con un puñado de hombres a mi tienda y comenzó a pedirme whiskey y todos los licores que tenía... No me dejaron cerrar la tienda sino que se quedaron ahí hasta cerca de la media noche. El que mandaba el grupo se fue a otra tienda y ahí consiguió algunas botellas de vino. Cuando se le subió regresó a mi tienda para molestarme diciéndome que le diera el whiskey y agregando que sabía que yo lo tenía. Me molestó tanto que nos hicimos de palabras; entonces me amenazó con su rifle, si no me mató fue porque uno de los soldados le pegó en el brazo y entonces la bala cayó en el techo de la casa... Al día siguiente y lo más pronto que pude vendí todo lo que tenía conservando solamente la casita, que no sé en qué condiciones estará actualmente. Después los villistas me obligaron a entrar a sus filas y me llevaron como soldado. Pero esto no me gustaba, pues nunca tuve inclinación a la lucha, especialmente por cosas que no me importan. Por eso cuando llegamos a Torreón me escapé lo más pronto que pude. Eso fue hacia 1915.

Pablo Mares

Manuel Gamio. *El inmigrante mexicano. La historia de su vida*

cada día ingresaban en calidad de refugiados y eran enviados al campo militar de Forth Bliss. Ahí, hombres, mujeres y niños eran acogidos de manera temporal, es decir, hasta que encontraban trabajo y podían valerse por su cuenta. El *Annual Report Commissioner General of Inmigration* constataba que el ingreso de mexicanos había sido en particular notable durante los años 1912 (22 001), 1919 (28 844) y 1920 (51 042).

No Mas Revolucion
EN MEXICO

Las necesidades no cubiertas producen el descontento que origina casi siempre la revolución, por eso decimos arriba que ya no habrá revolución en México, porque los mexicanos ganan ahora aquí muy buenos sueldos y tienen a su disposición un medio seguro, rápido y económico para mandar el dinero que su familia necesita para cubrir sus necesidades. Nosotros podemos servirle a usted en ésto, y al efecto lo invitamos para que se dirija a nosotros en el acto.

Somos la casa más fuerte en su género en los Estados Unidos y por lo mismo la que tiene mejor servicio, la que da más barato y la que da más garantías que ninguna otra. Tenemos más de trescientos corresponsales en México.

No se deje usted alucinar por historias más o menos bonitas, exija usted las pruebas, exigiendo saber de antemano el nombre de la persona que ha de pagar el dinero en México a su familia, y esto sólo nosotros se lo facilitamos por que somos los únicos que tenemos agentes pagadores en donde anunciamos tenerlos, lo demás son palabras que nada valen. Además, lo decimos antes de que usted nos mande un sólo centavo, cuanto le pagaremos, en que lugar se ha de hacer el pago, y cuando por cualquier causa no pueda su familia cobrar el dinero se lo devolveremos a usted sin descontarle nada absolutamente.

Más de doscientos bancos americanos, de primer orden, están usando nuestros servicios de corresponsales para sus propios giros. Nosotros damos a nuestros clientes garantía completa, no usamos el dinero que nos mandan para México. Autorizamos a usted para que pregunte a cualquier Banco, si esto es verdad o no. ¿Que más garantía quiere usted?

Escríbanos HOY MISMO Pidiéndonos informes, que le daremos a vuelta de correo, absolutamente GRATIS, a cualquiera de estas direcciones:

Tenemos también un departamento de exportaciones y mercancías atendido por personal competente para enviar bultos y encargos a México, siendo nuestros precios absolutamente cómodos. Escríbanos hoy.

Para complacer a nuestra numerosa clientela así como a nuestros amigos, hemos puesto durante este mes, un precio especial en las remesas de dinero a México. ESCRIBANOS UD. INMEDIATAMENTE Y SE CONVENCERA.

LOS ANGELES MERCANTILE CO.
Sucursal: 701 S. El Paso Street, El Paso, Tex.

LOS ANGELES MERCANTILE CO.
Sucursal: 216½ W. Commerce St San Antonio, Texas.

LOS ANGELES MERCANTILE CO.
201 N. Main St.—Casa Principal—Los Angeles, Cal.

CUPON:
Los Angeles Mercantile Company.
...anse ustedes remitirme, enteramente GRATIS, su nuevo libro de CANCIONES para completar mi colección de las obras de Uds.
Nombre:
Dirección:
Pueblo o Ciudad:

La Patria, *1919, El Paso*

Observando la batalla en Agua Prieta

De hecho, entre 1910 y 1920 se duplicó el número de mexicanos en Estados Unidos: de 221 915 a 486 418.

Vista desde el lado norteamericano, la guerra en un país vecino acarreaba inconvenientes, pero podía llegar a ser un magnífico negocio. Al final quedarían despojos y un maltrecho ganador del cual se podría sacar provecho, al cual imponer condiciones.

Así lo percibió, en ese momento, el semanario mexicano *El Cosmopolita*. A esa misma conclusión llegó, años más tarde, Friedrich Katz, el gran historiador de la Revolución mexicana en la frontera.

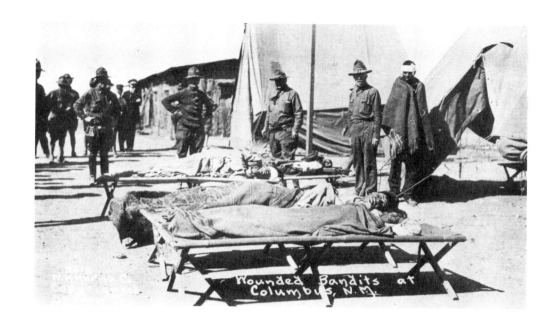

Wounded Bandits at Columbus, N.M.

La Villa de Columbus

El General Pershing

Me siento, un poco, como un hombre que busca una aguja en un pajar.

Friedrich Katz. *La guerra secreta en México*

El Cosmopolita, *1916*

La única vez que Estados Unidos ha sido invadido por un ejército extranjero fue la noche del 9 de marzo de 1916, cuando el general Francisco Villa al mando de 500 hombres cruzó la línea, penetró en territorio norteamericano y atacó el pueblo de Columbus, en Nuevo México. La batalla duró seis horas y la defensa de la población estuvo a cargo del 13er. Regimiento de Caballería. Se dice que el saldo fue de cien muertos del lado mexicano y diecisiete del norteamericano. A pesar de las bajas, Villa cumplió con el objetivo simbólico de atacar Estados Unidos y, de paso, crearle un conflicto internacional a su opositor interno, Venustiano Carranza.

La decisión de atacar Columbus respondió a un complejo juego de fuerzas y alianzas entre las facciones revolucionarias y el país vecino. Villa, con un ejército prácticamente derrotado y sin el apoyo norteamericano que antes había tenido, jugó una de sus últimas cartas. Y la jugó bien. Desde su punto de vista, los carrancistas habían llegado a un acuerdo entreguista con Estados Unidos, porque suponía que era el mismo que le habían propuesto y que él había rechazado.

EL PERRO HA ANDADO DOBRE LA PISTA, PERO HAY TANTAS...

El Cosmopolita, *1916*

EL AGUINALDO A MEXICO

Y muy pronto se esfumaron, perdiéndose en el horizonte,
los últimos destellos de las armas y como un rumor
sordo de tormenta que se aleja...

El Cosmopolita, *1916*

Como quiera, su incursión a Columbus provocó una nueva invasión norteamericana: la "expedición punitiva", que le creó innumerables problemas a los carrancistas y le sirvió a Villa para dos cosas: dejar en ridículo a dicha expedición, que no pudo lograr su objetivo, y recuperar la confianza de una población cansada y harta de la guerra.

La invasión norteamericana a México fue la culminación de una amenaza que siempre había estado presente. Estados Unidos mantenía negociaciones simultáneas con los tres bandos en conflicto –huertistas, carrancistas y villistas– con cada uno de los cuales trataba de sacar la mayor ventaja posible. A pesar de la situación difícil los tres bandos estaban de acuerdo en un punto:

oponerse e impedir a toda costa los intentos de ocupación por parte de los norteamericanos.

En 1914, le tocó definirse a los huertistas que controlaban los puertos del Golfo. La flota norteamericana, anclada frente a los puertos de Tampico y Veracruz, buscaba cualquier pretexto para intervenir. La ocasión se dio cuando unos

Our Boys on the March in Mexico.

GEN. PANCHO VILLA RAID ON COLUMBUS, NEW MEXICO, MARCH 9TH, AT 4 A. M., 1916. ALSO U. S. SOLDIERS KILLED IN THE RAID. THE BODIES ARE READY FOR SHIPMENT HOME. VILLA KILLED MEN AND WOMEN AND BURNED THE TOWN. U. S. SOLDIERS ROUTED HIM, KILLING 200 OF HIS BANDITS, BURNING THEIR BODIES. NO. 708

——————, PHOTOGRAPHER. DOUGLAS, ARIZONA.

GEN. PANCHO F. VILLA, Bandit OF MEXICO, OLD.

Carta de Villa a Zapata

Decidimos no quemar un cartucho más con los mexicanos, nuestros hermanos, y prepararnos y organizarnos debidamente para atacar a los americanos en sus propias madrigueras y hacerles saber que México es tierra de [hombres] libres y tumba de tronos, coronas y traidores.

Friedrich Katz. *La guerra secreta en México*

marinos norteamericanos desembarcaron sin permiso en la ciudad de Tampico y fueron detenidos por las autoridades. El incidente, tan menor que se resolvió en unas horas, provocó la indignación norteamericana y la exigencia, como compensación, de izar y saludar a la bandera de la barra y las estrellas. La negativa de parte de las autoridades de Tampico acarreó la ocupación de Veracruz y la defensa del puerto. Los cadetes de la Escuela Naval, algunos soldados del 19o. regimiento y voluntarios desobedecieron la orden superior de retirarse y durante doce horas resistieron la invasión. El saldo fue de diecisiete marinos muertos, 63 heridos y 200 defensores mexicanos muertos, la mayoría civiles.

A los carrancistas les llegó el turno en 1916, cuando negaron el permiso de ingreso a la expedición punitiva al país. El incidente mayor se dio cuando una patrulla de esa expedición, al mando del teniente Charles Boyd, pidió permiso para que sus tropas pasaran por el poblado de El Carrizal y el general Félix Gómez se negó y acató las instrucciones de impedir toda penetración norteamericana. En la batalla ambos jefes murieron y los norteamericanos fueron derrotados.

Quizá nunca se estuvo tan cerca de otra invasión a México, pero el presidente Wilson tuvo que dejar

¡Sensacional!   ¡Increíble!   ¡Fenomenal!

PANCHO VILLA con ADELITA

EN LOS

══ ESTADOS UNIDOS ══

CON VERDADERO GUSTO OFRECEMOS A NUESTRA CLIENTELA DOS DISCOS NETAMENTE MEXICANOS:

(ADELITA, Cantada.   (PANCHO VILLA, Corrido.
(CUANDO ESCUCHES ESTE VALS, Cantado. (ALEJANDRA, Cantada.

ESTOS DISCOS SON DE CANCIONES POPULARES MEXICANAS, GRABADOS POR CANTANTES MEXICANOS MANDADOS

—— POR EL ——

"REPERTORIO MUSICAL MEXICANO"

LA UNICA CASA MEXICANA DE MUSICA MEXICANA PARA LOS MEXICANOS

FONOGRAFOS Y DISCOS

"COLUMBIA"

408 N. Main St. Mauricio Calderón, Prop.   Los Angeles, Cal.

PIDA USTED NUESTRO NUEVO CATALOGO GENERAL GRATIS.

pendiente el asunto. Estaba en puerta la primera guerra mundial. Todo indicaba que a Alemania le hubiera convenido que Estados Unidos se enfrascara en una guerra en su propia región.

Estos episodios forman parte de la llamada "guerra secreta" o "revolución intervenida", esa mezcla de intrigas, conspiración e intervención mediante la cual Estados Unidos trató de influir en el destino de un México que apenas salía de la etapa bélica de la revolución. En cierto modo, nos salvó la campana de la primera confrontación mundial, donde el país guerrero no perdió la oportunidad de decir presente.

La incursión en Columbus se convirtió en un símbolo para los mexicanos y Francisco Villa en un icono para los norteamericanos de Columbus. La cantina del poblado donde, según el alcalde, se toman todas las decisiones, lleva por nombre Pancho Villa y el edificio donde oficialmente debería despachar el alcalde tiene pintado en el frente un letrero, a la usanza mexicana, que dice palacio municipal. El único motel del lugar se llama Pancho Villa, al igual que el Museo, donde se exponen recuerdos de la batalla y fotografías. La fiesta del pueblo tiene que ver desde luego con la conmemoración del único acontecimiento importante que ha acaecido en Columbus: la incursión de Pancho Villa una noche de marzo de un cada vez más lejano 1916.

CORRIDO VILLISTA

Nuestro México, febrero veintitrés
dejó Carranza pasar americanos,
diez mil soldados, seiscientos aeroplanos,
buscando a Villa queriéndolo matar.

Don Venustiano les dice que avancen.
Si son valientes y lo quieren perseguir
les doy permiso que sigan adelante
pa' que se enseñen también a morir.

Comenzaron a echar expediciones
y Pancho Villa también se transformó
muy vestido de soldado americano
en las barbas de Pershing se rió.

La segunda ola migratoria

ESTADOS UNIDOS MEXICANOS.

El Gobierno Constitucional del Estado Libre y Soberano de Guanajuato. Gto. Méx

Número ..... 36.

Filiación.

Hijo de .. J. Ascensión Mora
y de .. Ma. Jesús González,

Nacionalidad .. Mexicana,

Edad .. 46 años,

Estado .. Viudo,

Profesión .. Comerciante,

Estatura .. 1 M.69 Cmts.

Color .. Moreno,

Ojos .. Cafés,

Nariz .. Regular,

Pelo .. Negro,

Barba .. Razurada,

Personas que lo acompañan ....

Señas particulares. No tiene.

Concede libre y seguro pasaporte al señor José María Mora González, con autorización de la Secretaría de Relaciones Exteriores, ------------

y suplica a las autoridades, tanto civiles como militares, de los países por donde viaje, no pongan obstáculo a su tránsito ni a su salida y le franqueen los auxilios que necesite pagados por sus justos precios.

Dado en Guanajuato, Gto. a 27 *de* julio *de 19*23

Por El Gobernador Constitucional del Estado,
El Secretario General de Gobierno.

Por El Secretario General de Gobierno,
El Oficial Mayor.

Manifiesta ir a .. Laredo, Tex.--E.U.de N.A.

Con el objeto de .. Trabajar.

Firma del portador .. José Ma. Mora González

Conforme con el presente pasaporte ....

Registrado a fojas .. 36 .. del libro respectivo.

Para que este pasaporte surta debidamente sus efectos, deberá ser visado por el Cónsul Norte Americano en la Ciudad de Aguascalientes o en la de San Luis Potosí.

A esa primera migración originada por las penurias económicas del México porfiriano que volvió atractiva la oferta de empleos en el suroeste de Estados Unidos se añadieron el desconcierto político y los desajustes económicos que generó la revolución de 1910; trastornos que desencadenaron una segunda ola migratoria que duplicó la cantidad de mexicanos en Estados Unidos: los poco más de 200 000 mil que había en 1910 se convirtieron en 478 383 en 1920. En verdad, salvo en el bienio 1913-1915, hubo un incremento constante de la

San Antonio, Texas

migración a Estados Unidos durante la década revolucionaria.

La ola se nutrió de varios flujos. Las noticias acerca de la guerra que comenzaba en el país obligaron a trabajadores que estaban del otro lado a postergar el anhelo del retorno a México, posposición que se volvió irremediable, sobre todo cuando el migrante pudo regresar en busca de su familia o logró hacerla llegar hasta donde él se encontraba. Hubo quienes se integraron a las filas de algún jefe militar pero sobre la marcha descubrieron que no estaban hechos para la vida guerrera, para aceptar sus secuelas. Ante la disyuntiva de matar o morir prefirieron cruzar la línea a esperar del otro lado el apaciguamiento del ánimo belicoso. Hubo aquellos que ante un presente cargado de carencias económicas, plagado de incertidumbres sociales, optaron por irse a Estados Unidos sin una noción clara –¿podían tenerla?– acerca del futuro. Para esos hombres jóvenes, para esas parejas recién formadas, la búsqueda cotidiana de la sobrevivencia fue delineando la geografía de su destino. Gracias a los registros de exención de impuestos se sabe que durante los años 1917-1921 hubo 72 867 trabajadores mexicanos en la agricultura, los ferrocarriles, la construcción de obras gubernamentales y las minas. Más de la mitad (34 922) regresaron a México, muchos (21 400) dejaron el trabajo y desaparecieron, unos cuantos (494) solicitaron la residencia permanente y otros tantos (414) murieron.

Ellos, como sus antecesores, eran originarios de los estados del centro-oeste –Jalisco, Guanajuato, Michoacán, Zacatecas, San Luis Potosí– y recorrían los mismos estados del suroeste norteamericano: Texas (52.19 por ciento), California (18.11), Arizona (12.61), Nuevo Mexico (4.16), Kansas (2.84), Colorado (2.28) y Oklahoma (1.40). Siguiendo la noticia de un empleo o de plano enganchados, los trabajadores transitaban con enorme facilidad entre estados y regiones; entre quehaceres agropecuarios, ferrocarrileros y mineros que eran los que prosperaban en el suroeste norteamericano.

El fin de la revolución no detuvo el flujo de migrantes. Por el contrario. En los años 1923-1924 parece haberse suscitado la mayor emigración o quizá fue la que quedó mejor registrada: 102 215 personas ingresaron a Estados Unidos, de las cuales 69 323 eran hombres y 32 892 mujeres. Aunque la proporción de mujeres siempre fue menor (alrededor de 37 por ciento) que la de hombres (alrededor de 63 por ciento) no cabe duda de que hasta los años cuarenta la migración tuvo un fuerte sesgo familiar. Aun sin saber donde se iban a establecer de manera definitiva, las familias buscaban estar unidas, los hombres procuraban reunirse con sus esposas e hijos, con sus madres y hermanos. No obstante penurias y distan-

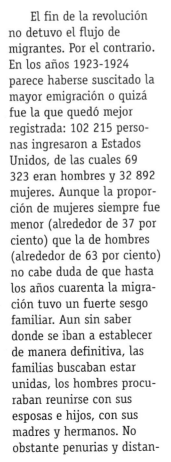

cias, las mujeres se lanzaban a cruzar la frontera embarazadas y seguían teniendo hijos a lo largo de penosas travesías siempre guiadas por la esperanza de empleos mejores. Por si fuera poco, una nueva ola de violencia rural, la guerra cristera (1927-1929), de particular intensidad en la región de origen de los migrantes, aportó contingentes inesperados al flujo

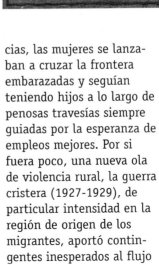

o frenó el retorno de los que andaban fuera. A partir de 1926 volvió a crecer el número de migrantes: 42 638 y 66 766 en 1927. En 1930, y a pesar de las deportaciones, había 1 422 533 mexicanos asentados en el otro lado, es decir, casi el triple de los que se habían registrado en 1920. Como resultado de la disminución de la inmigración europea y la persisten-

te demanda de trabajadores mexicanos se elevó muchísimo la proporción de estos últimos en la población migrante: de 3.8 por ciento en el período de 1911 a 1920 a 10.5 en el de 1921 a 1927.

Detrás de cifras y proporciones había un fenómeno nuevo. En el transcurso de la década de los veinte los migrantes comenzaron a incursionar en empleos distintos –sobre todo urbanos e industriales– y a desplazarse hacia regiones alejadas de la frontera, en especial hacia California, Illinois e Indiana. Así, la búsqueda incesante de trabajo y las ganas de estar en familia hicieron aumentar como nunca la población mexicana en ciudades como Los Angeles (97 116), San Antonio (82 373), El Paso (58 291), Chicago (19 362), Kansas City (5 599) que llegaron a reunir poco más de un cuarto de millón de mexicanos en 1930: 262 741.

Soy católico, pero no soy fanático

Así que regresé a Pénjamo y trabajé bastante bien en la agricultura a medias, hasta 1926. A principios de ese año, regresé a los Estados Unidos, por las siguientes razones: un amigo me dijo que algunos de los católicos de la Liga, querían hablar conmigo.

Fui a ver lo que querían y los encontré reunidos en la sacristía de la iglesia. El sacerdote nos habló diciéndonos que deberíamos tomar las armas para defender la religión que estaba en peligro a causa de algunas leyes que había promulgado Calles, y dijeron que estaban planeando un levantamiento. Les dije que estaba de acuerdo, pero después huí hacia acá, porque sabía que si no me levantaba en armas con ellos, no me dejarían trabajar en paz.

Isidro Osorio

Manuel Gamio *El inmigrante mexicano. La historia de su vida*

RESIDENCE IN LOREDO, TEXAS.

El traque

El trabajo en el *traque* (*track*), es decir, en la construcción, reparación y mantenimiento de vías férreas, guarda un lugar muy especial en la memoria migrante, sobre todo de las primeras décadas de este siglo.

Los campesinos comenzaron a convertirse en los hombres del traque en las líneas férreas del sudoeste norteamericano. A finales del siglo pasado las dos terceras partes (75 por ciento) de las cuadrillas y una proporción aún mayor (90 por ciento) de los llamados "supernumerarios" (eventuales), que empleaban alrededor de 35 000 y 50 000 obreros respectivamente, eran de origen mexicano.

EN LA SOUTHERN PACIFIC

Una vez que hablaba con un grupo de amigos, hacia el año 1908, me animaron a que me viniera a los Estados Unidos. Así que formamos un grupo y nos fuimos a Ciudad Juárez. Cruzamos la frontera sin dificultad y en El Paso, Texas, aceptamos un reenganche para ir a trabajar en el traque en la línea Southern Pacific. Apenas si ganábamos 1.25 o 1.50 de dólar al día, por nueve o diez horas de trabajo y todavía teníamos que pagar por dormir en unos viejos furgones que pertenecían a la compañía. También teníamos que pagar el agua y la comida que nos teníamos que preparar nosotros mismos. El comisario nos vendía harina y otras cosas para que pudiéramos prepararnos algo de comer. Todo lo vendían muy caro.

Jesús Berzúnzolo

Manuel Gamio. *El inmigrante mexicano. La historia de su vida*

Poco a poco los migrantes del traque fueron llegando a nuevos territorios donde había que estrenar vías, reparar las ya construidas: así se desplazaron hacia Nebraska, Illinois y Kansas. En este último lugar, los migrantes trabajaron no sólo en las vías sino también en los patios y talleres de las grandes compañías ferroviarias. Más tarde, y siempre tras la ruta que definían los rieles, los migrantes fueron a Colorado, Wyoming, Utah, Idaho, Montana, Oregon, Washington, Dakota del Sur, Missouri.

La condición ferroviaria era dura. El trabajo a la intemperie, muchas veces con intenso frío, era agotador y la jornada larga. Aquellos que no podían resistir el ritmo eran inmediatamente reemplazados por algún compatriota en espera de una oportunidad. Los contratos eran eventuales, lo que impulsaba aún más el retorno a

Deseo saber el paradero de mi hijo Fermín Hernández que el mes de Mayo del año pasado se enganchó en El Paso, Texas, para servir en el ferrocarril Santa Fe. Tiene 20 años de edad, blanco, a.to, delgado, pelo negro, pestaña riza da. Gratificaré con TRES PESOS a la persona que me dé informes exactos dirijase a Justo Hernández.—Burbank S. Dakota.—P. O. Box 8.

DE MOSCA EN UN TREN DE CARGA

Apenas llegué a San Antonio empecé a buscar trabajo, pero no pude encontrar. Me fui a la agencia de "reenganches" y me contraté para trabajar al traque. Yo no sabía lo que era eso, pero acepté porque ya se me estaba acabando el dinero, solamente me quedaban tres dólares. Le di uno al reenganchista y él me llevó a donde había muchos mexicanos en un campo ferrocarrilero. Trabajaba todo el día, pero como no estaba acostumbrado a ese trabajo tan pesado pensé dejarlo. El primer día apenas pude terminar la jornada, creía que me iba a morir por el trabajo tan pesado. Por la noche les pregunté a los muchachos donde estaba Dallas, Texas, o cualquier ciudad grande y me dijeron que por la vía y que si quería me fuera de "mosca" en un tren de carga.

Jesús Garza

Manuel Gamio. *El inmigrante mexicano. La historia de su vida*

México. Los hombres vivían al aire libre en tiendas de campaña, furgones viejos o chozas precarias levantadas a la orilla de las estaciones o en los lugares, de paso, donde había que hacer trabajos especiales. Ahí, tenían que comprar lo que necesitaban en las "comisarías", tiendas que vendían los artículos a precios cinco veces superiores a los de cualquier lugar poblado.

Las pésimas condiciones hacían del traque un trabajo poco atractivo. Esto obligó a las compañías a establecer programas de reclutamiento que se difundían en la prensa mexicana en Estados Unidos o a través de las compañías enganchadoras y, sobre todo, a hacer concesiones. Muy pronto se descubrió que una manera de conseguir y fijar trabajadores era permitirles estar con su familia. Las compañías,

SE NECESITAN
¡TRABAJADORES MÉXICANOS!
con Familias, para el Ferrocarril Burlington
Secciones y Campos

La Compañía se encarga de proporcionar a los trabajadores para su mayor comodidad CARRO, ESTUFA y CARBON enteramente gratis. Nuestras oficinas no cobran chanza por el enganche.

Se da a los trabajadores y familias, tierra para que siembren.

Podemos dar trabajo a los jornaleros mexicanos, en Illinois, Wisconsin, Iowa, Missouri, Nebraska, Colorado, Sur Dakota, Montana y Wyoming. Ocurran a cualquiera de las siguientes oficinas:

Kansas City, Mo.	**Omaha, Nebr.**
416 Main Street	307½ So. 12th St.
Denvar, Colo.	**St. Louis. Mo.**
1341 18th St.	11 North 8th. St.

Burlington Route

C. B. & Q. Railroad Co

entonces, ofrecían el pago de los pasajes a la esposa e hijos del candidato a ferrocarrilero. Así, el rielero vivía acompañado, tenía quien se encargara de hacerle de comer, de arreglarle su ropa, además desde luego, de la relación afectiva. De ese modo, se sabía, era más fácil que el trabajador permaneciera una temporada más o menos prolongada en los lugares inhóspitos por donde solían circular los trenes. Con ese mismo propósito, se dejó de cobrar una comisión por el enganche o "chanza", como se le decía en aquellos tiempos; se otorgaban pasajes de regreso gratis y se habilitaban, con estufa y carbón, viejos furgones de tren como vivienda sin pago de alquiler. Se llegó, incluso, a ofrecer tierras para que los rieleros las sembraran en sus tiempos libres.

La demanda de trabajo en el traque tuvo tres momentos de auge: primero, en las últimas décadas del siglo pasado, etapa febril de construcción de líneas y ramales que terminaron de tejer la tupida red ferroviaria norteamericana. Más tarde, durante los años de la primera guerra mundial en que fue imprescindible, casi un asunto de seguridad

¿Como le Va, AMigo?

¡¡ Pues mal amigo ¡! Me golpié en el tracke. ¡ y le pagaron por su golpe? no amigo, pues haga su reclamo, bueno, pero dijame cómo. Mire, hable ud. con Dn. Andrés y él le ayuda. Si, pero yo soy frastero aquí y no tengo dinero; tengo un tiempo que cobrar, pero no me lo han pagado; bueno pues, vaya con el Sr. Porras, para que el abogado le arregle su golpe, su tiempo, su check, y su pase también; si, pero le diré que no tenogó ni dinero para comer. Ya le digo, Dn. Andrés le presta los centavos para que coma y cuando arregle su negecio o que pueda trabajar, le pagará ud. á Dn. Andrés. Tenga la dirección. calle Locust á espaldas de la corte Federal, dos cuadras de la calle 5a. en el No. 543. 2o. piso cuarto No. 2.

ANDRES PORRAS,
KANSAS CITY, MO.
543 LOCUST ST.

LA VIDA EN UN CAMPAMENTO
1927-1928

El Departamento de Salud de Chicago ya no otorgaba permisos para el establecimiento de campamentos en los límites de la ciudad, salvo en caso de que fueran temporales. De hecho, sólo había dos campamentos permitidos. Uno era el de la Chicago & Northwestern Railway Company ubicado en las calles Crawford y Ferdinand. Los furgones estaban colocados a un lado de la vía y se aceptaba que los trabajadores vivieran allí mientras ajustaban las vías y hacían reparaciones en los patios. Este campo, en el momento en que fue visitado, alojaba a 25 mexicanos y 8 griegos. No había mujeres ni niños. Los hombres cocinaban adentro de los furgones. Había un promedio de cuatro hombres por furgón. El jefe de la sección también vivía en uno de los carros del campamento. La Belt Line Railway tenía su campamento en la calle 40 y Oakley. Los trabajadores pagaban un dólar diario por cuartos amoblados por la companía. La población allí oscilaba entre 25 y 150 trabajadores.

Anita Jones. *Conditions surrounding Mexicans in Chicago*

nacional, dar mantenimiento a las vías que tenían que movilizar productos y pertrechos. Finalmente, durante la segunda guerra mundial, período en el que, de nueva cuenta, las necesidades de mantenimiento y transporte fueron perentorias; tanto, que fue preciso establecer un programa especial y urgente de contratación de trabajadores del riel.

La primera contratación de braceros ferroviarios se llevó a cabo en la ciudad de México cuando 6 000 trabajadores firmaron los papeles para irse al otro lado en 1943. Al año siguiente, 1944, la contratación se hizo en San Luis Potosí, otro centro ferrocarrilero importante. Aunque el número de contratados aumentó, resultó insuficiente para la demanda de tal modo que hubo quejas de los que no alcanzaron lugar. Finalmente, en 1945, el centro de contratación se trasladó a Querétaro. Ese año se llegó al nivel más alto: 80 137 trabajadores. Pero también fue el último. Con el fin de la guerra, se suspendió para siempre ese programa.

No podía ser de otro modo. La época de oro del

EL FERROCARRIL

La máquina pasajera
no puede hacer cosa buena
porque oscurece en su casa
y amanece en tierra ajena.

Oigan y oigan
el ferrocarril bramar
es que lleva a los hombres
y nunca los vuelve a traer.

Manuel Gamio. *Mexican Inmigration to the United States*

Mientras que 400,00[...]
trabajadores de F[e]
rrocarril piensan de[...]
clarar una huelg[a]
100,000,000 de con[...]
sumidores y produc[...]
tores deberán sufri[r]
Este es el problem[a]
que al Congreso toc[a]
resolver.

EL TIO SAM YA SE PONE NERVIOSO

El Cosmopolita, *1916*

ferrocarril había empezado a declinar de manera irremediable. Había surgido hasta imponerse un modelo de comunicaciones y transporte terrestre basado en las carreteras; promovido, desde luego, por la industria automovilística y avalado por un ambicioso programa de obras públicas. En la medida en que el trabajo en el traque declinaba, crecía la demanda de trabajadores para la construcción de grandes y pequeñas carreteras por toda la geografía norteamericana. Comenzaba para los migrantes el trabajo en el "cemento".

LOS ENGANCHADOS

El 28 de febrero,
aquel día tan señalado,
cuando salimos de El Paso
nos sacaron reenganchados.

Cuando salimos de El Paso,
a las dos de la mañana,
le pregunto al reenganchista
si vamos para Louisiana.

Llegamos a La Laguna
sin esperanza ninguna.
Le pregunté al reenganchista
si vamos para "Oclajuma".

Llegamos el día primero,
y al segundo a trabajar.
Con los picos en las manos
nos pusimos a trampar.

Unos descargaban rieles,
otros descargaban "tallas",
y otros de los compañeros
echaron de mil malhayas.

Los que sabían el trabajo
iban recorriendo el "llaqui",
Martilleros y paleros
echándole tierra al traque.

Ocho "varas" alineadas;
nos seguíamos disgustados.
A los gritos y las señas
nos quedábamos paraos.

Decía don José María
con su boquita de infierno:
más valiera estar en Kansas
que nos mantenga el gobierno.

Decía Jesús el Coyote,
como queriendo llorar:
valía más estar en Juárez
aunque sea sin trabajar.
Estos versos son compuestos
por un pobre mexicano
pa' ponerlos al corriente
del sistema americano.

Manuel Gamio. *Mexican Inmigration to the United States*

Kansas City: un asentamiento fugaz

ESTADOS UNIDOS MEXICANOS.

El Gobierno Constitucional del Estado Libre y Soberano de Guanajuato, Gto., Méx.

Número .... **23.**

Filiación.

Hijo de **Pablo Jiménez y** de **Julia García,** ------

Nacionalidad **Mexicana,--**

Edad **22 años,-----**

Estado **Casado,------**

Profesión **Zapatero,--**

Estatura **164 Cmts.----**

Color **Trigueño,-----**

Ojos **Café oscuros,-**

Nariz **Regular,------**

Pelo **Castaño oscuro**

Barba **Imberbe,------**

Personas que lo acompañan **la Sra. su madre y tres -- hermanos, menores de -- edad,------**

Señas particulares **No tiene.**

Concede libre y seguro pasaporte, con autorización de la Secretaría de Estado y del Despacho de Relaciones Exteriores, al Señor José Jiménez, ------ y suplica a las autoridades, tanto civiles como militares, de los países por donde viaje, no pongan obstáculo a su tránsito ni a su salida y le franqueen los auxilios que necesite pagados por sus justos precios.

Dado en Guanajuato, Gto., a **3** de **abril** de 19**28.**

El Gobernador Constitucional del Estado,

INGENIERO

El Secretario General de Gobierno,

Manifiesta ir a **Sedgwick, Kansas.--E.U.de N.A.**

Con el objeto de **Trabajar.**

Firma del portador **José Jiménez**

Conforme con el presente pasaporte

Registrado a fojas **23** del libro respectivo.

Para que este pasaporte surta debidamente sus efectos, deberá ser visado por el Cónsul Norte Americano en la Ciudad de Aguascalientes o en la de San Luis Potosí.

Hasta 1910 podría decirse que la colonia mexicana de Kansas City, ciudad fronteriza de los estados de Kansas y Missouri era francamente reducida: la integraban 335 personas. Esto cambió mucho en los años siguientes: en 1920 llegaron a reunirse ahí 3 836 compatriotas, que se convirtieron en 5 599 en 1930. En 1920 se calculaba que casi una cuarta parte de los habitantes de ambas ciudades eran mexicanos (24.4%).

Como quiera, Kansas City fue un asentamiento transitorio, producto de la acción combinada de la revolución que en México hacía huir a la gente hacia muchos rumbos, con la fuerte demanda de trabajadores que se suscitó con la entrada de Estados Unidos a la primera guerra mundial.

EL PASO POR KANSAS

Al llegar a Oklahoma los hermanos de mi abuela tuvieron que dejar Oklahoma porque descubrieron que Ponciano vendía whiskey a los indios, algo que estaba prohibido. Continuaron su viaje a Kansas donde encontraron más trabajo del zinc. Ponciano rentó una casa para la familia y un cuarto separado para ellos.

Tillie López Medina. *Señoras de Yesteryear*

De hecho, apenas concluyó el conflicto bélico comenzaron las presiones para que los connacionales abandonaran esa céntrica y bien conectada región norteamericana.

Y es que esta ciudad se había convertido en un centro ferrocarrilero clave para la comunicación entre el oeste agrícola y el noreste industrial. Además de las actividades propias del quehacer ferrocarrilero,

Animado Baile

El sábado pasado se verificó con el mejor éxito un gran baile en uno de los salones de Kansas City, Kansas, con motivo del festejo del día de San José. La fiesta estuvo por demás lucida y se observó el mejor compostamiento y corrección, por lo que todas las familias que concurrieron a dicha fiesta salieron sumamente complacidas.

la ciudad vio prosperar numerosos establecimientos comerciales y empacadoras de algodón y, en el mundo rural, el cultivo de betabel para la fabricación de azúcar. Tanta oferta de empleo no tuvo que esperar mucho por su contraparte. Muy pronto, cientos de compatriotas llegaron a ocupar los puestos de trabajo que se ofrecían en esas diversas y dinámicas actividades de la ciudad y el campo.

Aviso Importante para todos los Mexicanos radicados en este País.

Tenemos el gusto de participar a todos nuestros compatriotas que se encuentra casa

Kansas & México Commercial Co.

Siempre encontrará un servicio más SEGURO, RAPIDO, EFICAZ y BARATO
para mandar Dinero, Bultos de Ropa, u otros artículos a sus familias en Mexico.

¿QUIERE UD. EVITARSE DIFICULTADES
Y NO SUFRIR MAS ENGAÑOS?

Ocurra siempre a nuestra casa que es la única que está mas cerca de Ud. y acepta todos sus encargos
BAJO SU MAS EXTRICTA RESPONSABILIDAD

No confunda nuestra casa con otras. Nosotros somos Mexicanos, venimos
de México a trabajar con los mexicanos y para los mexicanos

¿Quiere Ud. hacer buenas economias, asegurar el porvenir de su familia en México y contar siempre con el apoyo de una casa honrada? Todo eso lo obtendrá usted inscribiéndose en nuestro

**- GRAN CATALOGO DE -
TRABAJADORES MEXICANOS**

PASE A VERNOS O ESCRIBANOS. Gratuitamente le daremos toda clase de informes sobre este asunto de tanto interes
PARA TODOS LOS MEXICANOS

KANSAS & MÉXICO COMMERCIAL CO.
23 EAST MISSOURI AVE.   KANSAS CITY, MO.
GABRIEL RUIZ   RAUL BAILLERES

SI NO SUFRES DEMASIADO, NO BUSQUES LA FELICIDAD: YA LA TIENES.

EL COSMOPOLITA
SEMANARIO INDEPENDIENTE
DE LITERATURA INFORMACION Y ANUNCIOS

La honradez es la fuente de toda dicha que practicada, labrará si no riqueza, la felicidad del que es honrado por hacerse digno de toda clase de reconocimiento.

Sabed sufrir: este es el punto culminante de la fuerza humana, su manifestación más hermosa, y el gran secreto de los que son maestros en el arte de vencer.

AÑO IV. TOMO 4. | You reach a large number of Spanish-speaking people when you advertise in "El Cosmopolita." | Kansas City Mo., Julio 27 de 1918 | Entered as Second class matter October 1, 1914, at the Post Office at Kansas City, Mo., under the Act of March 3, 1879. | NUMERO 202

El trabajo de las mujeres

Sebastiana y Antonia Flores se sentían inseguras respecto al futuro y tenían miedo del país desconocido al que habían llegado siguiendo el reclamo de sus hermanos, José y Jesús Flores. Ellos habían llegado a Estados Unidos con la idea de trabajar unos cuantos años y volver a México. Un amigo de ellos que se regresaba a México y tenía una casa de huéspedes les dijo que era una buena oportunidad para que sus hermanas se encargaran de ese negocio. La renta de cuartos a los compatriotas era una forma de ganar dinero en casa.

El trabajo de las hermanas jamás se terminaba. Ellas lavaban, cocinaban, horneaban para treinta o cuarenta hombres. Todo lo hacían a mano, algo que parece increíble hoy en día. Muchos jóvenes mexican-american disfrutan ahora de una vida mejor y más fácil gracias a sus parientes inmigrantes que trabajaron duro, muy duro cuando llegaron a este país y abrieron las puertas para que la vida fuera mejor y más fácil de las siguientes generaciones.

Balbina Tomsic. *Señoras de Yesteryear*

1810   **1931**

LOOR y GLORIA a los HEROES de MEXICO

"Unámonos todos los que hemos nacido en este Bendito y Glorioso suelo mexicano."

HIDALGO.

INDIANA HARBOR, IND.

comidas que recordaban los platillos y sabores de la patria. Mientras que los hombres trabajaban en las fábricas y en los servicios, ellas se afanaban con la limpieza de cuartos de hombres solitarios que llegaban a trabajar, preparándoles el *lunch* para la jornada y ofreciéndoles de cenar al regreso. Era la forma femenina de obtener un ingreso sin salir de la casa, en quehaceres, se supone, siempre conocidos por la mujer. Así, no era extraño que los hombres mandaran buscar a sus hermanas para instalar una casa de huéspedes que les permitiera, a todos, ganar más dinero y, de ese modo, regresar a México lo más pronto posible. No fue extraño tampoco que la atención esmerada resultara en amores y matrimonios entre asistentes y asistidos.

HAY OCUPACION PARA TODOS LOS MEXICANOS

NUESTROS PAISANOS QUE SEAN DEPORTADOS DE LOS ESTADOS UNIDOS, TENDRAN OCUPACION EN EL NORTE DE NUESTRO PAIS

Varias importantes Compañías están gestionando los servicios de todos los obreros que regresen a México

MEJOR QUE EN TEXAS

El viajó al norte de Texas. La gente allí "me insultaba" recordaba. "Cuando comprabas comida tenías que ir afuera a comértela. Ellos odiaban a los mexicanos. Es difícil olvidar esas cosas", me decía con tristeza. El se fue por tren hacia el norte con 300 hombres (reenganchados) porque habían oído que los salarios en Kansas eran mejores. Trabajaron allí durante cinco meses.

José M. Orosco. *Señoras de Yesteryear*

Llegada de numerosos Trabajadores Mexicanos

El lunes llegó a esta ciudad un tren con familias y trabajadores mexicanos, quienes seguramente vienen ya contratados desde el Sur para los trabajos de los campos betaveleros. Ojalá que a estos compatriotas les pinte muy bien el Norte.

Hombr

Pero no sólo eso. Muy pronto, Kansas City se convirtió en un centro de reenganche de primer orden para los trabajadores mexicanos que transitaban entre las labores agropecuarias, ferrocarrileras y manufactureras que demandaban cada vez más gente en el noreste del país: Chicago, Indiana, Michigan, Minnesota. Por Kansas City pasaron muchos de los mexicanos que se desplazaron y en ocasiones se quedaron para siempre en Gary, Indiana Harbor y Chicago, los que probaban suerte en los estados de Nueva York, Nueva Jersey y Pennsylvania.

Con tanta gente y actividades, pronto aparecieron problemas y abusos laborales: de resolverlos se encargaba un sinfín de licenciados que ofrecían sus servicios en español. 1915 parece haber sido un año difícil para las relaciones obrero-patronales, tanto que hasta el semanario de la ciudad –*El Cosmopolita*– abrió un departamento para atender quejas de los trabajadores.

Gracias al ferrocarril la influencia comercial de Kansas City alcanzó un ámbito regional. A pesar de las perturbaciones inevitables de la revolución en México, los establecimientos mercantiles, muchos de ellos propiedad de mexicanos, se las arreglaban para ofrecer una amplísima variedad de productos del país. "Nada más con

escribirnos", decían, era posible abastecerse de "chile ancho, chilpetín, comino, orégano, ajo seco, garbanzos, panocha, lentejas"; a otras tiendas llegaban "metates, chocolate mexicano, molinos para nixtamal, molinos para chocolate, chile verde en vinagre, lentejas, velas de cera desde 10¢ hasta $1.00, frijol pinto a $9.90 por 100 libras, habas, yerbas medicinales, medicinas de patente con explicaciones en español, chorizo mexicano, fideos, sopa de macarrón, canela, canastas de todas clases y tamaños". A vuelta de correo era posible surtirse de fonógrafos y discos mexicanos en tiendas que para las fiestas patrias regalaban libretos

que contenían "nuestro glorioso Himno Nacional y las canciones más populares de nuestra PATRIA".

Una preocupación muy importante de la comunidad mexicana en Estados Unidos, tanto de los avecindados como de los migrantes temporales, era la celebración de las efemérides mexicanas. Dos en especial: el 5 de Mayo y el 16 de Septiembre. Para esos días, los negocios ofrecían el "mejor surtido de emblemas nacionales que se puede encontrar en Estados Unidos": banderas de seda, muselina y algo-dón de diferentes tamaños, leopoldinas, botones y festones, retratos de los héroes nacionales entre los que se incluía a Porfirio Díaz, recién expulsado del poder en México y detona-dor de la revolución que todos aquí y allá padecían.

COLUMNAS EDUCATIVAS — EDUCATIONAL SECTION

Lección de Inglés No. 1.

Correspondencia dirigida a este departamento debe ser acompañada de 6c en estampillas, para cubrir el gasto de porte y papel.

Inglés	Pronunciación Figurada	Españo
1 Book,	Buc	Libro.
2 Paper,	Pépeur	Papel.
3 Pen,	Pen	Pluma.
4 Table,	Tebl	Mesa.
5 Chair,	Cher	Silla.
6 Ink	Ink	Tinta.
7 Pencil,	Pénsil	Lapiz.
8 Door,	Dor	Puerta.
9 Wall,	Uol	Pared.
10 Window,	Uindo	Ventana
This	Zdis	Este
Is	Is	Es
A	E	Un
This is a		Este es un
Is this a?		Es este un?

Spanish Lesson No. 1.

Correspondence addressed to this department should be acompanied by enclosure of 6c in stamps to cover expense of postage and paper.

Spanish	Figurative Pronunciation	English.
Libro,	Lee'bro	Book.
Papel	Pah'pel	Paper.
Pluma,	Ploo'mah	Pen.
Mesa,	Mes'eah	Table.
Silla,	Seel'lyah	Chair.
Tinta,	Tin'tah	Ink.
Lapiz,	Lah'pith	Pencil.
Puerta,	Pooer'tah	Door.
Pared,	Pah'red	Pared
Ventana	Ven tah'nah	Window.
Este	Es'tay	This.
Es	Es	Is.
Un	Oon	A.
Este es un		This is a
Es este un?		Is this a?

EDUCADORES CHAMBONES

"NOTICE" ONLY ENGLISH SPOKEN IN THIS SPANISH CLASS ROOM

Dos tiempos × 2 times

Vamos a ver las dictations

SR. DON FORLANO EXPERT SPANISH OF MAESTRO

SI NO SIRVEN LOS MAESTROS ¿COMO SALDRAN LOS DICIPULOS?

A principios de 1900 Cresencio Marez, su esposa Guadalupe Vargas Marez, Paz Marez y la tía Matilde y su familia dejaron Guanajuato, rumbo a Nuevo México viajando a caballo y en tren. En Nuevo México, los indios le hicieron proposiciones a Matilde, que era joven y bonita, tenía el pelo negro y largo. A la mañana siguiente, toda la familia salimos en el tren hacia Kansas por el miedo de que los indios trataran de secuestrar a Matilde. En Kansas vivíamos en un furgón. La mayoría de la gente mexicana que había en Kansas era de Paracho, Michoacán.

Mary Gomez Vasquez. *Señoras de Yesteryear*

En ese tiempo convulsionado, que trastocaba quehaceres y relaciones en México, y de cambios económicos que impulsaban a la gente a moverse de un lado a otro de Estados Unidos, muchos migrantes solían desaparecer por una temporada o, en ocasiones, para siempre. Publicaciones mexicanas como *El Cosmopolita* cumplían una importante función social: ayudar a los familiares que acudían o escribían a sus oficinas en esa pesquisa –a veces infructuosa pero siempre irrenunciable–, de buscar al ausente.

HIGH BRIDGE, LINCOLN PARK, CHICAGO.

J. O. KROPP, PUBL., MILWAUKEE No. 1191

Chicago 9bre 25. 1906

Querido hermano: Llegamos con toda felicidad. Permaneceremos en esta 8 ó 10 días, para continuar nuestro viaje a el mañana a N. York. Tu hermano.

El rumbo es Chicago

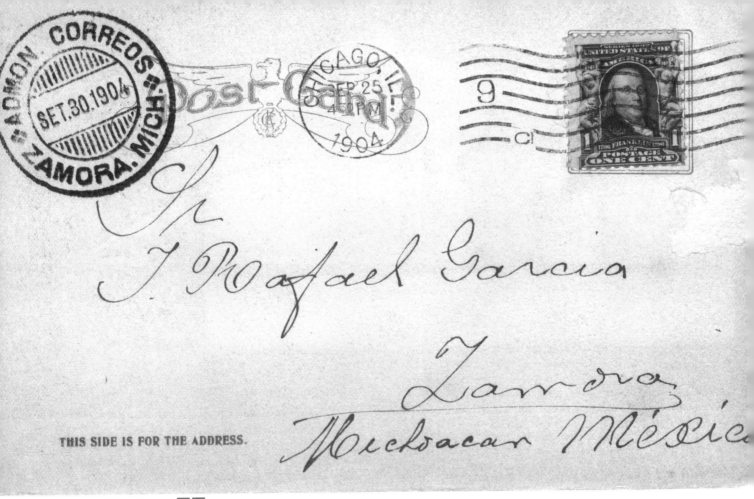

THIS SIDE IS FOR THE ADDRESS.

Sr.
J. Rafael Garcia
Zamora
Michoacan México

H asta 1920, el estado de Illinois y Chicago, su capital, apenas existían en la geografía laboral de los migrantes mexicanos. En 1900 y 1910, los censos encontraron pocos compatriotas avecindados allí: 156 y 672 respectivamente. La situación cambió de manera drástica en el transcurso de la década siguiente: en 1920 fueron censados 3 854 mexicanos en la región, de los cuales 1 224 residían en Chicago. Y ya no se detuvo. Por el contrario. La inmigración de trabajadores a esa ciudad se hizo imparable en los años siguientes, sobre todo en 1924 y 1927. En ese último año, los inmigrantes consultados señalaron a Illinois como su cuarta opción de residencia en Estados Unidos, sólo después de Texas, California y Arizona.

Como siempre, los motivos que atrajeron a los migrantes fueron múltiples. Como es sabido, a partir del último tercio del siglo pasado Chicago se integró a la prestigiosa liga de

PERDIDO EN CHICAGO

En 1923 fui a San Antonio, donde trabajé para la Southern Pacific. Al poco tiempo, un amigo que estaba trabajando en la Inland Steel Company en Indiana Harbor me envió $100 dólares y me dijo que fuera para allá. Llegué a Chicago, pero no encontré a nadie que pudiera decirme donde estaba Indiana Harbor... No sabía inglés y estuve en Chicago durante seis días tratando de encontrar Indiana Harbor. Me subía a los camiones y les preguntaba a los conductores, pero me contestaban: "este autobús no va para allá". Durante mucho tiempo hice lo mismo... No podía ordenar en los restaurantes así que me era difícil conseguir algo de comer; excepto en las tiendas que tenían frutas, en las cuales podía ver y señalar. Por las noches dormía en los furgones o en cualquier lugar, no podía ir a un hotel porque no sabía cómo pedir un cuarto. Le tenía miedo a los policías... veía gente con rostros oscuros y les preguntaba pero ellos no entendían español... Finalmente, en una estación de ferrocarril encontré a un hombre que hablaba español; era cubano. El me llevó al lugar donde podía tomar el tren para Indiana Harbor.

Paul S. Taylor. *A Spanish-Mexican Peasant Community. Arandas in Jalisco, Mexico*

grandes ciudades norteamericanas. Su posición como centro ferroviario de primera magnitud para la comunicación entre el este y el oeste, el norte y el sur, hizo florecer negocios variados en la manufactura, el comercio, las finanzas y el transporte. Fue ahí, al calor de la bonanza que exigía obras y demandaba servicios, donde se popularizó el uso del acero para apuntalar el crecimiento de esos primeros rascacielos que asombraron al mundo, que se convirtieron en ejemplo de la vida moderna que se acuñaba en Estados Unidos.

El auge de Chicago, paradigma de ciudad industrial donde se creaba y producía lo más avanzado y demandado de la tecnología de la época, atraía gente de casi cualquier lugar del mundo. Era el *melting pot*. Pero no a todos por igual. Con el fin de la primera guerra mundial se redujo la llegada de inmigrantes europeos a Estados Unidos y hubo problemas para emplear a la población de origen afroamericano. Muy pronto, la noticia de que en Chicago faltaban brazos y se pagaban atractivos salarios animó a los mexicanos a incursionar más allá de sus entornos laborales conocidos, a viajar hasta esa tierra fría y ventosa.

La noticia de que había trabajo la hicieron llegar las propias fábricas a los rumbos sureños, donde sabían que se desplazaban los migrantes, encadenando empleos antes de regresar de manera definitiva a su tierra. En 1923, por ejemplo, la Illinois Steel Mills importó de Forth Worth, Texas, a un grupo de trabajadores mexicanos. Pero había mucho más. La oferta laboral abarcaba un amplio abanico de posibili-

dades: además de las fundidoras estaban los ferrocarriles, las empacadoras y las fábricas de azúcar de remolacha. En 1927-1928 había poco menos de mil trabajadores mexicanos en cuatro grandes compañías: 400 en The Armour Packing Company, 217 en Swift, 94 en The Wilson Packing Company y 186 en Chicago Belt Line Railway. Se sabía también de compatriotas empleados en The Crane Company, Omaha Packing House, Peanut Specialty Company, The Illinois Central Freight House, The Cracker Jack factory, The Chicago Northwestern Railroad Company, y en la Burlington Railroad Company.

Muchos de los que llegaron a Chicago, dice Anita Jones, habían trabajado antes en "los campos de cultivo y cosecha de algodón en Texas, en las empacadoras de algodón y los trabajos del riel en Kansas o Missouri, en las minas de Colorado, en los muelles de Nueva York, en la construcción de buques en Nueva Jersey, en las fundidoras de Pennsylvania" y en los ferrocarriles de Oklahoma, Nebraska, Ohio y Iowa.

Con todo, la mayoría, era originaria de las áreas tradicionales de la migra-

LOS PIONEROS DE HULL HOUSE 1908

El primer contacto de una familia mexicana con Hull House sucedió hace más de veinte años. Esa familia llegó de México a la Feria Mundial de St. Louis donde el padre expuso trabajos de plumas. De St. Louis se fueron a Boston y poco después llegaron a Chicago. Los niños de la familia entraron al kindergarten de Hull House. Más tarde, cuando se desató la migración a Chicago, los miembros de esa familia sirvieron de intérpretes a los que llegaban. Todos los niños de esa familia crecieron y compraron casas en Chicago.

Anita Jones. *Conditions surrounding Mexicans in Chicago*

ción a Estados Unidos. De acuerdo con un recuento de poco más de mil personas realizado en 1927-1928, 250 dijeron ser originarios de Michoacán, 227 de Guanajuato, 227 de Jalisco y 119 de Zacatecas, y casi todos esperaban regresar a su tierra algún día. En total, de esos estados provenía más de la mitad (61 por ciento) de los migrantes.

Los recién inmigrados solían vivir en campamentos ferrocarrileros o en asentamientos dispersos pero cercanos a las empresas que los empleaban. Sin embargo, la mayoría prefería agruparse en tres áreas que muy pronto

Desfile mexicano en Chicago

EL ÁREA DE LA UNIVERSIDAD DE CHICAGO

...es [un asentamiento] más joven que su vecino Hull House. La Srta. Mary McDowell no sabe cómo fue que los primeros mexicanos se ubicaron en ese distrito. Más bien fueron descubiertos por los habitantes de ese lugar después de la Guerra, en 1919. Un año más tarde, Swift and Company, tenía registrados 97 trabajadores mexicanos que vivían allí.

La cuadra 4 500 de Justine Street parece ser la favorita de los mexicanos del barrio. Esto se debe quizás a que enfrente de cada casa existe un pedacito donde pueden crecer plantas y flores.

Anita Jones. *Conditions surrounding Mexicans in Chicago*

llegaron a identificarse como mexicanas: Hull House, en las cercanías a la Universidad de Chicago y South Chicago. El asentamiento más numeroso de mexicanos, y también el más pobre de esa ciudad, era Hull House, ubicado en la zona oeste.

Junto a las casas y edificios viejos y sucios de había agencias de empleo, además las rentas eran bajas y las empresas donde trabajaban quedaban cerca. De este modo, ahí se podía encontrar, según los cálculos de Anita Jones elaborados con base en la información proporcionada por las empresas, a algo así como una cuarta parte de los 2 500 miembros de la colonia mexicana en 1927-1928. Una proporción menor (8 por ciento) se localizaba en el área de la Universidad de Chicago, donde los hombres que

LA IDEAL

Abarrotes y Carnicería

La Tienda más antigua de la Colonia

DONDE ENCONTRARA MERCANCIA DE CALIDAD
A LOS PRECIOS MAS BAJOS DE LA CIUDAD.
ENTREGAS A DOMICILIO.   D. GARCIA, Prop.

1528 Roosevelt Rd.   Chicago, Ill.   Tel Haymarket 0979

viajaban solos preferían rentar casas o departamentos para vivir en grupo. Por lo regular, trabajaban en los ferrocarriles y en las empacadoras.

Los que vivían en South Chicago, sin duda el mejor de los tres –donde había casas de huéspedes y restaurantes–, solían trabajar en las fundidoras. Esto no era extraño, ya que éstas tenían sus propias oficinas de empleo.

Chicago, como antes Kansas, muy pronto se llenó de oficinas de empleo y casas de enganche, de hoteles, casas de huéspedes y restaurantes que acogían a los hombres que llegaban solos en busca de trabajo y un lugar donde cobijarse; establecimientos que, a su vez, daban trabajo a otros mexicanos y mexicanas en las tareas de limpieza,

cocina y atención a los clientes. Se les ubicaba con facilidad por el rumbo de Madison, Chicago Avenue y Clark Street.

Las difíciles condiciones de vida y el predominio de hombres solos llevaba, notaba Anita Jones, a que "...las mujeres que en circunstancias normales no pensarían en nuevos romances, están expuestas a la tentación de cambiar de compañero, a poder escoger uno más joven, guapo, mejor proveedor. El divorcio, casi desconocido en México, parece ser aquí un nuevo juego tanto de los hombres como de las mujeres...".

Puesto que escaseaban las mujeres, los hombres "...han encontrado novias entre las noruegas, polacas o alemanas. En los bailes que organizan los clubes en

UN ASENTAMIENTO JOVEN: SOUTH CHICAGO

La colonia de South Chicago es la más joven de las tres. Comenzó en 1923, cuando debido a la salida de los inmigrantes europeos por la Quota Act, las fundidoras tuvieron que ir al sur a traer al primer grupo de trabajadores mexicanos. Antes de eso, unos cuantos habían trabajado en las fundidoras, pero no había una colonia.

Anita Jones. *Conditions surrounding Mexicans in Chicago*

Hull House, donde acuden compatriotas de todo Chicago, el mayor porcentaje de mujeres es de no mexicanas. Esas muchachas piensan que los jovenes mexicanos son estupendos bailadores...".

El primer invierno

...Aquí es muy duro. Los que ya viven acá ayudan como pueden a los recién llegados y hacen todo lo posible por aliviar sus penurias. El tiempo tan frío lo empeora todo porque la ropa y los muebles de los migrantes son escasos. El cónsul de México ha tratado de prevenir esta situación insertando una nota en los principales periódicos mexicanos en la que le advierte a la gente que no espere encontrar trabajo en Chicago en el invierno. Sin embargo, muchos no hacen caso...

Anita Jones. *Conditions surrounding Mexicans in Chicago*

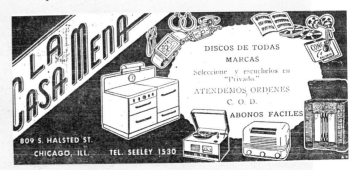

Horarios y salarios en las fundidoras

En la Illinois Steel Mills, los obreros trabajan de 7:00 de la mañana a 5:30 de la tarde; otros trabajan en diferentes turnos: de las 11:00 de la noche a las 7:00 de la mañana; de las 7:00 de la mañana a las 3:00 de la tarde; y de las 3:00 de la tarde a las 11:00 de la noche.

En The Wisconsin Steel Mills, los hombres trabajan ocho horas al día. Sus turnos son: de 2:00 pm a 10:00 pm; de 10:00 pm a 6:00 am; de 6:00 am a 2:00 pm. Ambas fábricas cambian turno cada semana.

...Los salarios de los mexicanos en las fundidoras varían de 42 1/2 centavos por hora a diez centavos por hora, que reciben los trabajadores comunes; a 54 centavos por hora, por ocho horas y medio día los sábados que reciben los moldeadores. Cuando las fundidoras los despiden por una temporada larga, los trabajadores se van. Algunos, los que tienen familia, sobreviven al desempleo gracias a los ahorros que hacen cuando están empleados. Por lo regular, los hombres no traen a sus familias hasta que tienen un trabajo permanente.

Anita Jones. *Conditions surrounding Mexicans in Chicago*

Reconstruyendo la vida en Indiana Harbor (East Chicago)

MESA DIRECTIVA DEL "CIRCULO DE OBREROS CATÒLICOS "SAN JOSÉ" INDIANA HARBOR, IND. JULY 4-1925.

La onda expansiva de la industrialización que hacía prosperar a Chicago llegó hasta las fundidoras de Indiana Harbor, al extremo sur del lago Michigan. En 1923, la Inland Steel Company inició un agresivo programa de expansión de actividades para lo cual destinó setenta millones de dólares y necesitó mucha más gente de la que pudo echar mano en las cercanías. Indiana Harbor ya se había convertido en tierra de acogida para inmigrantes europeos de diverso origen: alemanes, croatas, eslovacos, irlandeses, galeses, húngaros, italianos, lituanos, polacos, rumanos, rusos, serbios, suizos, ucranianos, también de algunos mexicanos que desde 1910 habían comenzado a llegar por ahí, empujados por los avatares de la revolución en México.

Pero fueron insuficientes. La empresa entonces despachó enganchadores hacia el sur en busca de trabajadores. Los enganchadores fueron a distintas partes pero muy pronto descubrieron que en Kansas City y en Oklahoma había una cantera de fundidores mexicanos, es decir, de trabajadores calificados en ese rudo oficio, dispuestos a desplazarse hacia esa tierra desconocida y fría donde la Inland les ofrecía un mejor salario. De la llegada de trabajadores mexicanos se beneficiaron otras empresas como la Youngstown Sheet

Indiana Harbor en 1922-1924

Muy pronto se construyeron varios hoteles: el "Alex", "Washington", "Baltimore" y "Lincoln". Se necesitaban mucho dada la cantidad de hombres solteros que había.

Angela Bocanegra Frías. *Señoras de Yesteryear*

and Tube Company y todo el sistema de transporte al que se le exigía desplazar cada vez más operarios entre las áreas residenciales y los lugares de trabajo. En ese tiempo, se decía, era posible ingresar a trabajar el mismo día que se hacía la solicitud, en jornadas de doce horas de trabajo por las que se pagaban tres dólares diarios.

Los primeros migrantes que se desplazaron a Indiana Harbor eran originarios de Michoacán, Guanajuato y Jalisco. Aunque abundaban los hombres solos, llegaron también parejas jóvenes, grupos de hermanos y hermanas e incluso mujeres acompañadas sólo de sus hijos, un tipo de familia migrante característica de ese tiempo convulsionado que desmanteló casas y pueblos de México. En un principio, recuerdan las Señoras de Yesteryear, sus familiares vivieron cerca de las fundidoras donde trabajaban, en barracas que se alineaban en Block Avenue, Pennsylvania Avenue, Michigan Avenue y Watling Streets.

La llegada de mujeres, en calidad de madres, esposas y hermanas, tuvo un efecto importante en el desarrollo de la colonia mexicana en Indiana: muy pronto, ellas fundaron o trabajaron en casas de huéspedes donde el migrante podía sentirse un poco en familia; se encargaban de preparar y servir

LA TRAVESÍA HASTA INDIANA HARBOR

Mi papá y sus amigos oyeron decir a sus compañeros de trabajo que en las fundidoras de Indiana se necesitaban trabajadores, en especial en la Inland Steel Company. Mis padres, la familia de don Severo Ruiz y su hermana viajaron al norte hasta Indiana Harbor. En ese momento, mi mamá estaba embarazada de mí. Mi mamá estaba duchándose en un hotel de San Louis, cuando decidí nacer..., pero eso no los detuvo y reemprendimos el viaje a Indiana. En Springfield, Illinois, se detuvieron y sólo mis padres fueron a Indiana para ver si era cierto que las compañías necesitaban más hombres. Inmediatamente les avisaron a los amigos que se habían quedado en Illinois, que llegaron poco después.

Mary Rivera Ruiz. *Señoras de Yesteryear*

Los migrantes mejoraron y mexicanizaron Indiana Harbor: poco a poco establecieron restaurantes y tiendas de abarrotes con productos del país, hoteles y verdulerías, equipos de futbol, clubes y bandas, más tarde teatros y hospitales, bancos y sociedades mutualistas. En 1928, celebraron por primera vez con banda y uniformes propios, el Día de la Independencia de México. Poco después vinieron tiempos duros. La Gran Deportación de 1929 hizo estragos, suscitó dilemas en una comunidad que había comenzado a integrarse económica y socialmente en Estados Unidos. El trabajo disminuyó y los salarios bajaron; las familias se debatían entre aquellos que querían regresar a México y los que preferían quedarse; los que permanecieron en Indiana vieron partir, muchas veces para siempre, a parientes y amigos, paisanos que dejaron atrás cariños, recuerdos y cosas.

A pesar de las deportaciones, el censo de 1930 contó 5 343 mexicanos en Indiana Harbor y muy cerca de ahí, en Gary, Indiana, vivían otros 3 486 mexicanos. Así, en poco más de una década en ese extremo del lago Michigan se conformó una de las colonias urbanas más densas y dinámicas de migrantes mexicanos.

"Taco lunches" y comidas

Los *lunches*, con el nombre de cada huésped en su bolsa respectiva, se colocaban en una repisa en la despensa. Aunque los hombres cambiaran de turno, su *lunch* estaba siempre listo. Un típico *lunch* incluía cuatro tacos, una fruta, un panecillo dulce. La cena habitual consistía de sopa o caldo, carne o papas fritas, arroz o fideo, frijoles refritos y café. En las comidas de sábado y domingo se ofrecía menudo, carnitas, carne en barbacoa o bien sopa de pollo, arroz frito y mole.

Balbina Tomsic. *Señoras de Yesteryear*

La casa de huéspedes

La casa de huéspedes mexicana era un edificio de dos plantas con siete u ocho cuartos. En el primer piso se encontraba una cocina amplia, una despensa grande y un comedor...

Cuando estaban en la casa, los huéspedes comían en una mesa grande cubierta con un mantel de hule que estaba en el centro del comedor. Se sentaban en bancas largas o en sillas de madera que se encontraban a cada lado de la mesa.

Los mexicanos eran muy clánicos. Los jaliscienses o michoacanos se juntaban sólo entre ellos porque eran originarios del mismo estado y prevalecían las lealtades pueblerinas.

Balbina Tomsic. *Señoras de Yesteryear*

El pleno empleo

Recuerdo a un grupo de hombres de Monterrey que llegaron a trabajar a las fábricas de acero. Cuando mi madre les dijo que no tenía suficientes cuartos para alojarlos a todos, ellos dijeron que algunos podían dormir en las camas mientras otros trabajaban ya que tenían diferentes turnos en la fábrica. Las camas nunca estaban frías.

María Arcos Machuca. *Señoras de Yesteryear*

El dilema del retorno

Cuando las familias fueron repatriadas a México a principios de los años treinta, Ignacio quería que me regresara con nuestros hijos. Yo siempre le había obedecido pero en esa ocasión me negué rotundamente y estoy contenta de haberlo hecho. Con la ayuda de Missionary Catechists of Victory Noll nosotros —y la mayoría de la colonia mexicana de Indiana Harbor— pudimos sobrevivir a la Gran Depresión.

Margarita Ruiz Maravilla. *Señoras de Yesteryear*

Roulette at Monte Carlo, Juarez, Mex.

La Ley Seca en la frontera

En 1910, Tijuana y Mexicali, con 733 y 462 habitantes respectivamente, ocupaban los últimos lugares de la geografía y la demografía fronterizas. Aunque la única ciudad para presumir era, desde luego, Ciudad Juárez, había por lo menos seis poblaciones –Ciudad Acuña y Piedras Negras, en Coahuila; Nogales en Sonora; Matamoros, Nuevo Laredo y Reynosa en Tamaulipas– que congregaban a lo más nutrido de la población en este lado de la frontera de nopal. Esta organización del poblamiento comenzó a modificarse en apenas una década de coincidencias que atrajeron gente y dinero a esas dos poblaciones, vecinas del enorme, rico y demandante estado de California.

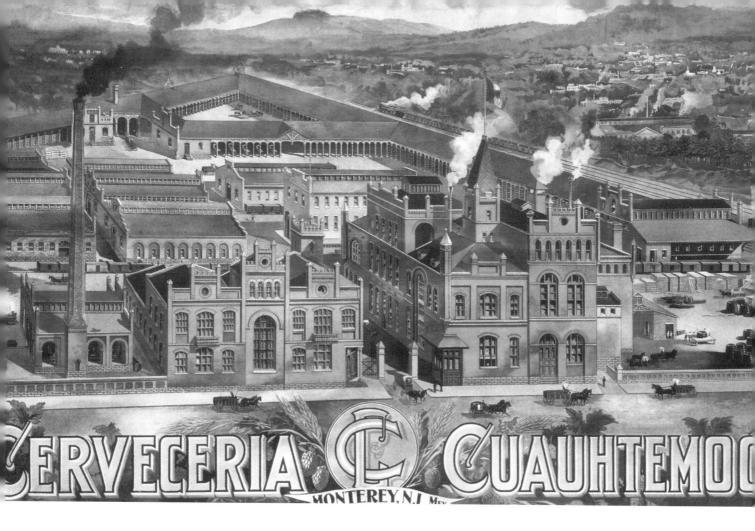

CERVECERIA 🄲🄻 **CUAUHTEMOC**

MONTEREY, N.I Mex.

La onda expansiva del movimiento puritano acarreó la clausura de centros de diversión en Estados Unidos y, desde luego, en el enorme y dinámico oeste del país: hipódromos y cantinas tuvieron que cerrar sus puertas dejando una clientela ávida e inversionistas desocupados; pero no inactivos.

Así, poblaciones como Ensenada, Mexicali, Tecate y Tijuana, recibieron a los "primeros exiliados de celo calvinista", empresarios californianos que instalaron o animaron la creación de establecimientos que forjaron la leyenda negra de la región: casas de juego y casinos, galgódromos, restaurantes, prostíbulos, licorerías infinitas, y más tarde el inolvidable Casino Agua Caliente. Por lo pronto, en 1916 el norteamericano James Cofroth, en compañía del gobernador de Baja California, Esteban Cantú, inauguró un impresionante hipódromo en Tijuana que ese día vio

CONSULADO -- MEXICANO
EN EL PASO, - TEXAS.
CALLE DE SAN ANTONIO,
NUM. 612.

HORAS DE DESPACHO.
De 9 a. m. á 3 p. m.

CONSUL,
Francisco Mallen.

Un oficio peligroso, 1926

...Fui a buscar trabajo a un campamento de indios cercano... Después de los primeros quince días reuní bastante dinero y entonces el jefe indio me llamó y me dijo: "Te daré 20 dólares para que te vayas al otro lado del río y me compres dos barriles de vino. Los 20 dólares son para tí, y aquí tienes para comprar el vino. Dos de los muchachos irán contigo y te esperarán cerca". Así pasamos al otro lado. Yo llevé el vino hasta el río en una carretilla. Después pasé los dos barriles en una canoa, mientras los dos muchachos me miraban. Un policía mexicano me vio, pero no dijo nada. Cuando estábamos ya listos para volver al campamento, los dos indios me dijeron que les fuera a comprar unas botellas de whiskey para ellos y me dieron otros 5 dólares. Les compré el whiskey y una botella de vino dulce. Lo pasamos todo del otro lado del río. Los indios estaban muy contentos. Yo le regalé la botella de vino dulce a la hija del jefe, como prueba de gratitud. Los indios se pusieron una terrible borrachera, todos gritaban y aullaban y yo me sentía muy asustado. Me seguían mandando a traer más vino y whiskey, así que en menos de un mes, con mi trabajo y lo que me daban por traerles vino, reuní cerca de 200 dólares. Pensaba quedarme ahí, pero la hija del jefe indio me dijo que era un delito muy grave comprar licor para los indios, por eso decidí irme. Un día, cuando me mandaron a comprar más whiskey, se los compré y lo puse en la canoa y luego les dije que me esperaran, pues iba a comprarme una botella para mí, pero no regresé, sino que me fui para el otro lado. Envié parte del dinero a mi casa y con el resto me fui a Los Angeles...

Gonzalo Galván

Manuel Gamio. *El inmigrante mexicano. La historia de su vida*

llegar –y tuvo que atender– a cientos de turistas y apostadores que pasaron la línea en busca de la diversión prohibida.

A lo anterior, se sumó después de la primera guerra mundial, la animosidad con los alemanes que solían ser propietarios de fábricas de cerveza y licores que entonces volvieron la mirada a la frontera sur en busca de espacios más amables para el desarrollo de sus industrias. Por si fuera poco, en 1919 entró en vigor la ley promovida por el senador Volstead que prohibió la producción y consumo de bebidas embriagantes en Estados Unidos. La "Ley Seca", como fue más conocida, estuvo en vigor durante catorce años: 1919-1933,

durante los cuales se desarrollaron, de manera impresionante, la industria y el comercio, legal e ilegal, de licores y cerveza en toda la franja fronteriza, pero en especial en Tijuana, Mexicali y Ciudad Juárez. Así, en esta última se establecieron dos fábricas de whiskey; en Mexicali se fundaron la Cervecería de Mexicali, la Compañía Cervecera Azteca; en Tijuana la Cervecería de Tijuana; en Tecate, la Compañía Manufacturera de Malta, la Cervecería Tecate y una fábrica de whiskey.

PESQUISAS

Deseo saber el paradero de mi hijo Fermín Hernández que el mes de Mayo del año pasado se enganchó en El Paso, Texas, para servir en el ferrocarril Santa Fe. Tiene 20 años de edad, blanco, alto, delgado, pelo negro, pestaña rizada. Gratificaré con TRES PESOS a la persona que me dé informes exactos, dirijase a Justo Hernández.—Burbank S. Dakota.—P. O. Box 8.

Un negocio tentador

Poco después de que se estableció
la prohibición y el contrabando de
licores se convirtió en un negocio
tentador, yo me encargué de llevar
cuarenta cajas de tequila y otros
licores cada semana a un coronel y
a un capitán en Fort Bliss. Eso me
resultaba fácil porque yo conozco
varios pasos a través del río, por los
que es fácil pasar a pie, a caballo o
en carretas... Era muy buen negocio
porque me pagaban dos dólares por
cada caja que lograba pasar. Mis
compañeros eran dos muchachos
valientes a los que pagaba algo cada
semana...

Francisco Gómez

Manuel Gamio. *El inmigrante mexicano. La historia de su vida*

Productos que se vendían
en cantinas legendarias
como el Bar Volstead, La
Ballena, "que tenía la barra
más grande del mundo" o
aquella que, ubicada
estratégicamente en la
línea fronteriza, tenía una
ventana para que los
norteamericanos introduje-
ran la cabeza y bebieran del
lado mexicano sin poder ser
multados por la policía.
Una fuente importante,
aunque riesgosa, de empleo
masculino en la región, fue
el contrabando de licor, que
llegaba incluso hasta las
guarniciones militares y las
reservas indias.

Así, el empleo que se
generaba en las fábricas, en
los múltiples centros de
esparcimiento y en los
servicios para atender
migrantes que empezaban a
fluir, de ida y vuelta, por
ese lado de la frontera,
Mexicali, Tijuana y Ciudad
Juárez reunió a más de
sesenta mil personas en
1930: 39 669 en Ciudad
Juárez, 14 842 en Mexicali
y 8 384 en Tijuana.

CORRIDO DE LOS CONTRABANDISTAS

Pongan cuidado señores,
lo que aquí voy a cantarles,
me puse a rifar mi suerte
con catorce federales.

Me puse a pensar señores
que trabajo ya no había,
tenía que buscar mi vida
si el Señor me concedía.

Ya la siembra no da nada
no me queda que decirles,
ahora la mejor cosecha
es la que dan los barriles.

Toda la gente que siembra
hasta el año venidero,
ahora no son los barriles
todo es que salga el primero.

Los que están cociendo el trago,
a nadie les piden mal,
pero van y los denuncian
y les traen la federal.

Cuando iban a entregar el trago
con peligro y muy barato,
nomás me echo dos o tres tragos
y el miedo es nomás un rato.

Mientras sigan las cantinas
así seguirá pasando,
porque el pobre esté en la cárcel
y el rico se ande gozando.

Pero el hijo no hace caso,
antes que lo "haigan" pescado,
la madre es la que sufre
cuando el hijo está encerrado.

Anónimo. *Corridos y tragedias
de la frontera*

LOS TEQUILEROS

El día dos de febrero,
¡qué día tan señalado!
mataron a tres tequileros
los *rinches* del otro lado.

Llegaron al Río Grande,
se pusieron a pensar:
—Será bueno ver a Leandro
porque somos dos nomás—.

Le echan el envite a Leandro,
Leandro les dice que no:
—Fíjense que estoy enfermo,
así que no quisiera yo—.

Al fin de tanto invitarle
Leandro los acompañó,
en las lomas de Almiramba
fue el primero que murió.

Les hicieron un descargue
a mediación del camino,
cayó Gerónimo muerto,
Silvano muy mal herido.

Tumban el caballo a Leandro
y a él lo hirieron en un brazo,
ya no les podía hacer fuego,
tenía varios balazos.

El capitán de los *rinches*
a Silvano se acercó,
y en unos cuantos segundos
Silvano García murió.

Los *rinches* serán muy hombres,
no se les puede negar,
nos cazan como venados
para podernos matar.

Américo Paredes. *A
Texas-Mexican Cancionero*

¿Habrá dinero en mi casa?

El 29 de noviembre de 1906 llegaron a la estación de tren de Zamora, Michoacán, 23 hombres que regresaban de Estados Unidos. Habían permanecido entre ocho y nueve meses trabajando en el otro lado. Cuando las autoridades del Distrito les preguntaron al respecto, resultó que traían un total de $2 716.45 en efectivo. Aparte, durante su estancia habían enviado, dijeron, otros $2 241 como remesas a sus familiares. Si la cifra es correcta, quiere decir que cada familia de migrante obtuvo un ingreso de $228.76. Esto, sin contar los gastos de los viajes, la estancia del migrante en Estados Unidos ni el precio de las pistolas que varios de ellos trajeron. Esos migradólares, es decir, el dinero remitido o ahorrado del trabajo en el otro lado,

correspondían al salario de entre quince y veinte meses en la región en ese momento que era de 35 a 50 centavos diarios. Esa diferencia salarial era, desde luego, una buena razón para emigrar. Pero quizá no era suficiente. Al mismo tiempo, era preciso asegurar la comunicación y el envío de remesas a la familia que se quedaba en México. El telégrafo, compañero inseparable del ferrocarril, ayudó a mitigar el costo psicológico de la ausencia y los giros telegráficos permitieron hacer llegar a México las remesas que tanta falta hacían para la sobrevivencia, para convertir en realidad el sueño que sostenía toda la aventura migratoria.

El asunto de las remesas era crucial para los migrantes y muy pronto se

1048217952

El ahorro migrante, 1927

El Atlas State Bank brindaba servicios a los mexicanos del barrio de Hull House y del área de Halstead y la calle Taylor. Ese banco abrió un "Departamento Mexicano" en octubre de 1927, a cargo del señor Carlos Fernández, originario de Michoacán. Fernández reportó que el banco tenía cerca de 600 cuentahabientes mexicanos y alrededor de 400 clientes compraban giros para enviar dinero a México. El banco proporcionaba sobres para enviar los giros por correo. Los que tenían cuenta recibían el servicio gratis, los demás pagaban una cuota. El gerente comentó que una familia había hecho un depósito de 800 dólares, cantidad ganada por el padre, la madre y sus tres hijos durante el verano en los campos de betabel en Michigan, poco antes de regresar a México. Ese fue el depósito más cuantioso que recuerda. Por lo regular, los ahorros en el trabajo del betabel son menores. En promedio, el ahorro de los mexicanos en el banco es de 600 dólares.

Anita Jones. *Conditions surrounding Mexicans in Chicago*

OTRAS CASAS

le cobran elevadas comisiones por

Envíos de DINERO a México

Ofreciéndole pagar $1.55 dinero mexicano por cada dollar

NOSOTROS le OFRECEMOS

El tipo oficial del Correo:

$1.85 a 1.95

por cada dollar y le cobramos

6 centavos por cada peso

Esta es una justa y moderada comisión

UD. SABE LO QUE HACE:

Si continúa enviando su dinero por conducto de las Casas de Cambio o por el nuestro.
Mande sus órdenes por correo o venga personalmente a nuestra oficina.

COOPERATIVE COMMERCIAL TRUST

2322 MERCIER St.   Kansas City, Mo.

convirtió en un buen negocio. Tanto que, apenas comenzaron a calmarse los ánimos entre los beligerantes, el gobierno restableció el servicio de giros internacionales. En 1919 había 172 poblaciones en México donde el correo podía hacerlos efectivos. Los estados donde más se ofrecía ese servicio eran sobre todo aquellos de donde salían más migrantes: Guanajuato (21 oficinas), Jalisco (18) y Michoacán (8). La competencia por acceder y manejar ese ahorro era, antes como ahora, encarnizada. El correo aseguraba que "...el servicio es más directo y eficaz y sobre todo más económico, pues está claro que ninguna casa de las que suelen mandar dinero a México podrá ofrecer el tipo de cambio tan económico que ofrece el correo...". Y es que además de éste, en los lugares donde se encontraban los migrantes muy pronto surgieron diversas compañías, casas de cambio pero también muchos establecimientos comercia-

¿Dónde guardan su dine-
ro los Mexicanos?

Muchos lo guardan en su casa o en la bolsa
y de ambos lugares es fácil que se les pierda

No lo depositan en un Banco porque regularmente tienen dificultades

==| POR NO SABER INGLES |==

Milgram puede guardarles su dinero

Pues está en conección con un importante Banco de esta ciudad; habla español, conoce muy bien o los
mexicanos y los mexicanos lo conocen muy bien a él

1017 W. 24th. Street   **Nat Milgram Mercantile Co.**   Kansas City, Mo.

Esta casa tiene toda clase de Mercancías Mexicanas, Yerbas Medicinales Chocolate y Chorizo Mexicano

DISCOS Y FONOGRAFOS

También tenemos toda clase de Mercancías Americanas

Mande Ud. todos sus pedidos acompañados de su importe en giro postal y le enviaremos todo flete pagado

NAT MILGRAM MERCANTILE COMPANY

1017 W. 24th. St.   Kansas City, Mo.

les que, a cambio de una "pequeña" o "justa y moderada comisión", prometían el traslado seguro de los migradólares a México; otras, les proponían guardar sus ahorros mientras volvían a México.

Las casas de cambio y las agencias solían tener sus propios "agentes pagadores" en distintas poblaciones de México. Los migradólares ameritaban tanta gentileza: en 1919 el dólar se cotizaba entre $1.80 y 1.90 y las compañías lo cambiaban a $1.55 en México.

Así, no es de extrañar que aquí y allá cundieran los establecimientos que empezaron a ofrecer servicios múltiples a los migrantes: además del envío de dinero a sus familias, prometían representarlos y ayudarles en sus problemas laborales y judiciales, mandar bultos de ropa y hasta proporcionar informes acerca de los familiares y amigos en México.

SERVICIOS BANCARIOS PARA TRABAJADORES MEXICANOS

El señor A. Mugnani es gerente del Departamento Hispano del Italian State Bank ubicado en la esquina de la Avenida Grand y la calle Halstead (en Chicago). Llegó hace dos años procedente de Argentina. El señor Mugnani reportó que en ese banco había, en mayo de 1928, treinta cuentahabientes mexicanos. Pero, afirma, el número de cuentas suele aumentar a ochenta durante el verano. La mayoría de los ahorradores del banco vive en furgones móviles que se estacionan en las salidas de los ramales del ferrocarril. Como esos carros se desplazan de acuerdo con la demanda de trabajo en las vías, los trabajadores carecen de dirección fija. De ahí que el banco haya establecido la costumbre de proporcionarles sobres con la dirección del banco para que los familiares les escriban allí. Las cartas procedentes de México llegan a la oficina de Mugnani que las guarda hasta que el propietario las reclama.

Anita Jones. *Conditions surrounding Mexicans in Chicago*

El Cosmopolita, *1917*

Recreando tradiciones

HIMNO NACIONAL MEXICANO

LETRA Y MUSICA DEL

HERMOSA IMPRESION, CON EL PABELLON MEXICANO EN LA CARATULA

65c. A NINGUN MEXICANO DEBE FALTARLE EN SU CASA UNA COPIA DEL HIMNO PATRIO **65c.**

Bernardo Lopez Mercantile Co. 308-310 W. 6TH ST. KANSAS CY., MO.

Una de las maneras más socorridas de mantener una tradición e impulsar el reencuentro entre los migrantes es celebrar alguna fiesta, por lo regular del ámbito nacional, en la diáspora. Esa conmemoración, acerca de la cual no suele haber discusión sobre fecha y motivo, tiene la virtud de atraer y congregar a los paisanos, de validar un reencuentro sin distinción, en principio, de clases, razas o religión.

Aunque una celebración anual puede resultar más que suficiente, los migrantes en Estados Unidos se dieron, desde hace mucho tiempo, a la tarea que se hizo costumbre de conmemorar dos fechas:

Atención, Mexicanos!

YO SOY EL HOMBRE QUE USTEDES BUSCAN

Ya se acercan las fiestas y Uds. necesitan

TRAJES, SOMBREROS, SOBRETODOS, ZAPATOS, ROPA INTERIOR

y una infinidad de articulos que no enumeramos

Ahorrará dinero, porque nuestro negocio se basa en pequeñas utilidades

Antes de comprar algo, venga a acá

THE STAR CLOTHING CO.

509 Kansas Ave.   Armourdale,   Kansas City, Kans.

Dos puertas al Oeste del Cine Mexicano

el 5 de Mayo, que recuerda la batalla de Puebla contra los invasores franceses de 1862 y el 16 de Septiembre que marca el inicio de la Independencia en 1810.

Por lo menos, desde finales del siglo pasado la celebración del 5 de Mayo era una fiesta popular para la cual los migrantes solían incluso regresar a sus pueblos. Para animarla aún más, el ferrocarril empezó a ofrecer descuentos especiales para los viajeros de esos días, con ese motivo. La costumbre de dar el grito el 15 de septiembre en la noche se debe, dice don Luis González, a Porfirio Díaz, que de ese modo festejaba, de paso, su cumpleaños.

Como quiera, desde entonces ya era popular en Estados Unidos. En 1894, dice el periódico *El Defensor*, los vecinos de El Paso, Texas celebraron el Grito de Independencia con sendos discursos pronunciados por los jóvenes Lauro Amparán y Ramón Hernández. Como es sabido, esa velada alcanzó su máximo esplendor durante las fiestas del Centenario en 1910. Con todo, no se opacó ni aplacó la costumbre popular de celebrar el 5 de Mayo entre los mexicanos residentes en Estados Unidos. Por el contrario. Esa fecha adqui-

¡¡EL 16 DE SEPTIEMBRE SE APROXIMA!!

Si Ud. necesita Banderas Mexicanos, haganos su pedido hoy mismo.

Muchísimos de los pedidos que recibimos, por banderas para las pasadas fiestas del 5 de Mayo, no se atendieron debidamente porque nos fueron hechos estos pedidos demasiado tarde. Hoy conviene que se prepare pidiendo desde luego lo que necesite para evitar demoras.

Banderas de Muselina, con escudo, 24x36. 6 por 50c. 12 por 80c.

Banderas de muselina, con escudo, 24x36
6 por $1.25. 12 por $1.80

Banderas de muselina, con escudo, 8x10
6 por 35c. 12 por 55c.

Banderas de algodón 2x3 pies. 1 por $0.80
"   "   3x5   "   1 por 1.50
"   "   4x6   "   1 por 1.80

Banderas miniatura, para el ojal, 20c. doc.

Tambien tenemos banderas americanas en los mismos tamaños y a iguales precios que los arriba marcados.

EXTRA: Regalamos como premio a todas aquellas personas que nos manden una orden de mayor valor de $2.00, una hermosa leontina para reloj, con el Escudo Mexicano.

Bernardo López Mercantile Co.
308 West 6th Street.   KANSAS CITY MO

rió nuevos significados, primero para los migrantes, más tarde para los chicanos.

Hasta ahora, la fotografía más antigua de una celebración de esa fiesta data de 1914, cuando hubo un gran desfile por las calles del pueblo de Mogollón, en Nuevo México. En plena revolución, en Kansas City, por ejemplo, se celebraron ambas fechas con gran entusiasmo. En esos tiempos el semanario *El Cosmopolita* publicaba, en la parte central de la primera plana, un retrato del general Zaragoza en su primera edición de mayo y el de don Miguel Hidalgo en septiembre.

Ambas fiestas eran muy buenas para la actividad comercial. Se vendían banderas de seda, algodón y muselina en diferentes tamaños, banderas miniatura para el ojal, emblemas nacionales en forma de medallón, "...leopoldinas con el águila mexicana o con la bandera de México y la de Estados Unidos...", retratos de los héroes nacionales para todos los gustos: Hidalgo, Juárez, Zaragoza, Porfirio Díaz, Madero y Carranza. Se vendían discos con la letra y música del himno nacio-

nal. Las tiendas de productos mexicanos ofrecían descuentos especiales y regalos para los consumidores: retratos, banderas, leontinas para reloj con el escudo mexicano. Era una costumbre difundida desfilar con las banderas de México y de Estados Unidos.

Aunque surgidas en fechas y circunstancias similares, en la década de 1940 ambas celebraciones empezaron a separarse. El 5 de Mayo se quedó como una fiesta popular organizada por las asociaciones patrióticas y los clubes de mexicanos en coordinación con los alcaldes de cada localidad. El 16 de Septiembre, en cambio, se convirtió en la fiesta oficial, fomentada por los consulados.

Con el surgimiento del movimiento chicano, el 5 de Mayo se definió, cada vez más, como una celebración de mexicanos en Estados Unidos, como la ocasión para reforzar su identidad de americanos con raíces mexicanas. Los intelectuales chicanos la reinterpretaron a su modo: hacen hincapié en que el lugar de nacimiento del general Zaragoza es Bahía

del Espíritu Santo, Texas y que era territorio mexicano en ese momento. Aseguran que en 1867, Zaragoza celebró en San Ignacio, Texas, el triunfo de la batalla de Puebla. Esto reivindicaría la idea de que la primera, o una de las primeras celebraciones de esa fecha se realizó en Estados Unidos. Finalmente, recuperan el aspecto subversivo de la fiesta como el recuerdo de una batalla exitosa contra el invasor extranjero. Esta celebración ha ganado ciudadanía en el otro lado. El "Cinco de Mayo", como se nombra en español, es recordado por el presidente de Estados Unidos, por gobernadores y alcaldes que saludan a la comunidad méxico-america-na que, ese día, saca a relucir sus mejores galas para recordar no tanto al general Zaragoza, sino los muchos símbolos de los que ha sido nutrido ese convite de mexicanos y sus descen-dientes.

Los Angeles, una ciudad mexicana

SPRING STREET BETWEEN SIXTH AND SEVENTH. LOS ANGELES, CALIFORNIA.

HOMBRES
LAVAPLATOS
ARA CLUB EXCLUSIVO
BUEN SUELDO
Vea al Steward
905 W. 6th St.
BRES + MUCHACHAS

El sistema de colonización español, basado en la fundación de misiones, presidios y pueblos de agricultores y comerciantes, marcó el paisaje del territorio de la Alta California. Aunque tardía, la expansión colonial definió el poblamiento y bautizó, al parecer para siempre, casi todos los rincones de ese enorme espacio que comenzaba en el norte de Sonora.

Española como parte del proyecto de colonización de la Alta California. En la toponimia urbana de Los Angeles se advierten las huellas española y mexicana en barrios como La Brea, Pico Rivera, San Pedro, San Fernando; en las calles que recuerdan a los fundadores y primeros líderes políticos: Alvarado, Figueroa, Pico, Sepúlveda.

Hacia 1793 la población de la Alta California estaba compuesta por 6 europeos, 24 religiosos, 183 mulatos, 418 de castas, 435 criollos y 3 234 indios. El mestizaje se acentuó aún más con el intercambio sexual con las tribus indias del lugar. Así, comenzó a gestarse un nuevo grupo social y cultural conocido como los "californios". Hacia 1820, último año del control

Nombres que aluden a imágenes que la añoranza de España volvía más entrañables como San Diego, Santa Ana, Santa Bárbara, Santa Mónica, San José, Santa Paula, San Francisco y Sacramento, se entremezclaron con aquellos que iban dando cuenta de las novedades y peculiaridades de rincones infinitos: El Conejo, El Coyote, El Encino, Los Nogales.

Los Angeles, ciudad emblema de California, fue fundada el 4 de septiembre de 1781 como Pueblo de la Reina de los Angeles, por catorce familias originarias de Sinaloa y Sonora. Entre colonos, soldados, artesanos, mujeres y niños sumaban cuarenta y cuatro personas, que fueron financiadas por la Corona

colonial, Los Angeles contaba con 650 "gentes de razón" y cerca de 200 indígenas.

Durante los 26 años en que Los Angeles formó parte del territorio flamantemente nacional (1822-1848), la población fue en aumento. En 1830, fueron contados 1 160 habitantes, de los cuales 770 vivían en el pueblo, 230 en ranchos de los alrededores y 160 en las misiones de San Gabriel y San Fernando. El rápido incremento de la población le valió a este asentamiento alcanzar el rango y título de ciudad en 1836.

Diez años después, la guerra con Estados Unidos puso fin a la fase mexicana de California. A partir de ese momento, empezó la conquista del oeste hecha de oleadas de un sinfín de inmigrantes que llegaron atraídos, primero por el oro, más tarde por la expansión ganadera y después por las oportunidades generadas por el crecimiento acelerado de las vías férreas, que hizo de Los Angeles el centro ferroviario más importante del Pacífico. La ciudad se transformó a un ritmo veloz y la población de origen mexicano se fue replegando cultural y políticamente hasta convertirse en una minoría.

El repliegue cultural duró cuatro décadas (1848-1888); hasta que llegó a Los Angeles la primera riada de operarios mexicanos que habían sido contratados o atraídos por los trabajos en el traque, los campos de cultivo y los empleos citadinos. Aunque los migrantes iban y venían, algunos empezaron a asentarse en barrios aledaños al centro de la ciudad y al este del río Los Angeles. La ciudad crecía segregando residencialmente a los diferentes grupos étnicos. De manera paradójica, los barrios mexicanos tenían nombres anglos, como el famoso East LA, el Belvedere, cuna de los "pachucos", que a finales de los años veinte acogía alrededor de 30 000 residentes mexicanos y sólo tres afroamericanos; el Boyle Heights que pertenecía al distrito de la Plaza Central, que en 1930 reunía a una comunidad de 35 000 mexicanos; y el Watts, un poco retirado del centro, donde los "blancos" vivían al norte y los mexicanos se situaban al sur de la calle principal.

Con la llegada de los compatriotas, aunque fuesen temporales, la

DE NOMBRES A NOMBRES

Cuando llegaron los españoles tuvieron que dar nombre a todo cuanto encontraron y vieron. Esta es la primera obligación de cualquier explorador... una obligación y un privilegio. Antes de anotar una cosa en el mapa dibujado a mano, es preciso darle nombre. Eran desde luego nombres muy religiosos, y los que sabían leer y escribir, los que escribían los diarios y trazaban los mapas eran los duros e incansables sacerdotes que viajaban en compañía de soldados. Así los primeros nombres de lugares fueron de santos o de festividades religiosas celebradas en los altos de marcha. Tenemos San Miguel, San Ardo, San Bernardo, San Benito...

Pero también se daba nombre a algunos lugares según el estado de ánimo de la expedición en aquel momento: Buena Esperanza, Buena Vista, porque la vista era hermosa; Chular, porque era muy bonito. Venían luego los nombres descriptivos: Paso de los Robles, porque había allí muchos de ellos; Los Laureles, por la misma razón; Salinas, a causa del alcalí, que era tan blanco como la sal.

Luego dieron nombres a ciertos lugares a causa de animales o pájaros que ellos vieron: Gavilanes, por los gavilanes que volaban sobre aquellas montañas, Topo, por la presencia de este animalejo; Los Gatos, debido a los gatos salvajes. La sugerencia la daba a veces la propia naturaleza del lugar: Tasajarra, una taza y una jarra; Laguna Seca, un lago desecado; Corral de tierra, porque había un cercado con tierra; Paraíso, porque era como el cielo.

John Steinbeck. *Al este del Paraíso*

presencia mexicana en Los Angeles retomó fuerza, renovó energías. Los migrantes se ubicaban en los más diversos oficios: lavanderías, talleres, limpieza, el traque, los tranvías, el cemento, las factorías de todo tipo y, a

su vez, demandaban una infinidad de servicios que sólo otros mexicanos podían atender: casas de asistencia, fondas, tiendas de productos del país, diversiones. Las mujeres, por su parte, se concentraron en las enlatadoras de productos agrícolas y en la industria de la confección. En 1954 en la costura se contrataron, sólo en el área de Los Angeles, 43 161 trabajadoras, de las cuales casi la mitad (43 por ciento) eran de origen mexicano.

El Este de Los Angeles era no sólo un barrio residencial. Ahí se ubicaron numerosas fábricas, como la llantera Sanson Tire Company, donde trabajaban cientos de migrantes. Algo similar sucedió en el barrio mexicano de Pasadena, donde cruzaban líneas de tranvías y las viviendas compartían el espacio con plantas eléctricas, lavanderías y cementeras.

A medida que el automóvil se adueñó de la ciudad y la urbanización creció y se extendió de

Operadoras

CON EXPERIENCIA
COSTURA SENCILLA
COSTURA DOBLE
ZIG ZAG
FAGOTING
Debe entender inglés

HOLLYWOOD YOUTH

309 E. 8th St.
CUARTO 204

(1T)

SANTA FE RAILWAY

INDUSTRIA ESENCIAL
NECESITA
TRABAJADORES
EN HIELO
LIMPIADORES TRENES
HOMBRES—MUJERES
AYUDANTES
JORNALEROS
HOMBRES — MUJERES

DEPARTAMENTO DE MECANICA

TRABAJADORES
DE TRACK

Ocurra usted en Persona o escriba

OFICINA DE EMPLEOS
DEL SANTA FE

119 East 6th St.

2490 East 8th St.
LOS ANGELES

(1T)

Otra Batida Contra los "Pachucos" en Belvedere

$812.74 DAN PARA LA CRUZ ROJA

Los mexicanos residentes en Belvedere

PUBLICO WSTER

8 DETENIDOS POR PELEAR EN LA CALLE

Los "mechudos" vuelven a las andadas

VARIOS DETENIDOS

manera desaforada, los trabajadores mexicanos empezaron a abandonar sus enclaves tradicionales para irse a vivir a zonas como Santa Ana, San Fernando, Culver City y Pacoima. En un comienzo, solían llegar a barrios de renta barata donde vivían afroamericanos y blancos pobres, a los que poco a poco iban desplazando, ayudados por el arribo incesante de parientes y paisanos. La competencia étnica se daba no sólo por el espacio urbano, sino también por el empleo. En los centros laborales, mexicanos y afroamericanos, immigrantes todos en California a fin de cuentas, se disputaban, día a día, los puestos de trabajo.

A medida que los barrios mexicanos se consolidaban, definían su personalidad, establecían sus distancias con otras etnias y sus cercanías con otros grupos, surgían personajes prototípicos como el "pachuco" de los años cuarenta, el "slow rider" de los setenta, el "cholo" de los ochenta. Esas sucesivas manifestaciones "contraculturales" buscan expresar su oposición a las normas y símbolos vigentes mediante las maneras particulares de vestir, caminar y comportarse. El *grafitti*, originalmente una expresión gráfica citadina de afirmación cultural de los afroamericanos, fue retomado por los cholos de origen mexicano. Pero el movimiento chicano fue mucho más allá, tomó las

paredes de las calles para recrear el mural, donde se recuperan raíces, símbolos, tradiciones y creencias que dan sentido a la existencia y reivindican la diferencia de los mexicanos respecto a otros grupos en ese país.

Aunque Los Angeles ha seguido creciendo hasta contar 3 485 398 habitantes en 1990, en verdad la ciudad como tal fue, hace mucho, desbordada. Hoy en día es preciso referirse a un espacio mucho mayor. En 1990, de acuerdo con datos del censo, el condado de Los Angeles acogía a 1 166 754 mexicanos, es decir, casi una cuarta parte (22 por ciento) de la población de ese origen radicada en Estados Unidos en ese momento.

Esto parece haber comenzado a cambiar y quizás el fin de siglo marque también el inicio de la diáspora mexicana por la geografía norteamericana. En términos relativos, Los Angeles ha comenzado a perder población. Con todo, es, y seguirá siendo, por un buen tiempo la ciudad mexicana más poblada fuera del territorio nacional.

En los campos de algodón

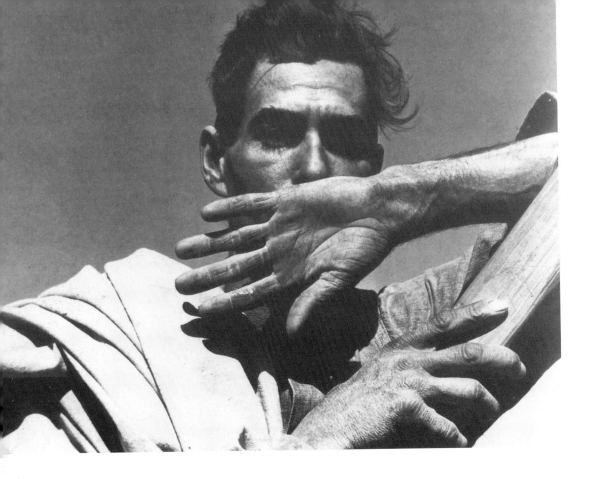

A finales del siglo XIX, el algodón se cultivaba en la parte este del estado de Texas, y eran los afroamericanos y blancos pobres los que se encargaban de plantarlo, cuidarlo, y sobre todo de cosecharlo. A comienzos de esta centuria, con el incremento de la demanda de esa fibra, su cultivo se expandió al oeste, hacia los estados de Arizona, Nuevo México y California. En Arizona se aprovecharon las nuevas tierras irrigadas del valle de Salt River; en Nuevo México empezó a plantarse en La Mesilla, donde también se habían hecho obras de irrigación. Finalmente, el algodón llegó a California, primero al valle Imperial, después al de San Joaquín.

La primera mata de esa planta en el valle Imperial fue sembrada en 1910, pero el auge se suscitó años más tarde, durante la primera guerra mundial. Y fue en ese tiempo cuando se hizo necesario importar mexicanos para la pizca. Las cuadrillas de operarios incluían entre 1 500 y 2 000 braceros que llegaban directos de Sonora, en especial de Guaymas y San Felipe.

En la década de los veinte, las grandes empre-

sas algodoneras se mudaron al valle de San Joaquín y el número de acres aumentó de 5 000 que se cultivaban en 1919 a 172 400 en 1930. Se calcula que cada año emigraban al valle de San Joaquín unos 60 000 trabajadores. La participación de los mexicanos en esas labores se hizo tan notoria que la temporada de pizca fue calificada como la "cosecha mexicana".

Poco a poco se establecieron circuitos migratorios que seguían el escalonamiento de las cosechas. Entre Texas y Oklahoma se organizaba una ruta del algodón que cubría entre 600 y 900 millas e incluía distintas compañías agrícolas donde compartían esfuerzos cerca de 50 000 trabajadores blancos, afroamericanos y mexicanos.

El trabajo era pagado a destajo, por kilos cosechados, lo que obligaba a los trabajadores a aumentar su rendimiento –y sus ingresos– por la vía del esfuerzo individual o mediante la incorporación a las labores de distintos miembros de la familia.

Los braceros llegaban a vivir a campamentos formados por casas o cuartos de madera, propiedad de la compañía que los contrataba. A cada familia le correspondía un cuarto "redondo" que en ocasiones incluía los servicios de agua, carbón o leña. En los campamentos había una tienda –muy a menudo negocio del ranchero o administrador de la empresa– que proporcionaba artículos básicos a las familias. Muchos campamentos estaban vigilados por guardias armados que impedían la salida de los trabajadores hasta la terminación del contrato. Las condiciones de trabajo eran duras, las jornadas extenuantes y los salarios bajos. De ahí que con frecuencia hubiera manifestaciones de descontento por parte de los trabajadores.

En 1920, en Tempe, Arizona, cerca de 4 000 jornaleros del algodón se declararon en huelga; en 1921, en Salt Lake Valley, Arizona, fueron despedidos 10 000 pizcadores mexicanos. Un año más tarde, en 1922, los trabajadores del valle de San Joaquín, California, se organizaron para plantear demandas comunes.

Grabado de Zalce

A pesar del bajo costo de la mano de obra, la cantidad de gente que se requería era tan grande que de cualquier modo el cultivo resultaba caro. De ahí los esfuerzos por desarrollar máquinas cosechadoras, lo que finalmente se logró aunque muchos años más tarde, a mediados de la década de los sesenta. Las máquinas permitieron la mecanización casi total de la cosecha. En 1951, menos de una décima parte (ocho por ciento) de la producción estaba mecanizada. Años más tarde, en 1964, esa proporción alcanzaba 78 por ciento.

La pizca manual del algodón había pasado a la historia del trabajo, al mundo de los recuerdos de los trabajadores migrantes de las primeras décadas del siglo.

La vida en un campamento, 1926

El agente era un viejo que parecía muy bueno. Ofreció el transporte de ida y vuelta y agregó que si por accidente llovía los primeros días o semanas, se les

daría comida aunque no trabajaran. El agente se llevó dos camiones llenos de gente a los campos y por la noche llevó a las familias a los alojamientos. Las casas consistían en dos cuartos muy pequeños y muy fríos, porque no se les dio carbón. Al día siguiente llovió, pero los hombres fueron de todos modos a ver el trabajo. Regresaron diciendo que no había algodón qué cosechar. El descontento empezó a extenderse y todos comenzaron a hablar de irse, pues no había trabajo para nadie, aunque es cierto que les dieron comida. Después, uno que había estado ahí antes dijo que la dueña de la plantación era una mujer llamada Smith, tenía hombres que los golpearían si se iban. Un hombre que había ido solo no hizo caso de esto y se fue a buscar trabajo. El agente acompañado por otro hombre, lo encontró en la oficina de empleos y le dijo que había roto el contrato. Lo golpearon en la cara y lo enviaron de regreso al campamento, lleno de cicatrices. La dueña consintió finalmente en dejarlos ir. No habían trabajado ni un solo día y ella dijo que no les daría el pasaje de regreso, además de que les cobró lo que se habían comido durante las dos semanas que estuvieron allí. Salía a 51 dólares por persona incluyendo el pasaje de regreso. Todos pagaron la comida, pero no quisieron pagar el pasaje de regreso. Pagaron la comida porque no querían que los mantuvieran y ya se la habían comido, pero no querían pagar el pasaje de regreso porque habían sido engañados.

Entrevista con la señora Concepción Laguna de Castro

Manuel Gamio. *El inmigrante mexicano, La historia de su vida*

La cosecha de betabel

El cultivo de betabel apenas coloreaba unos 135 000 acres a fines del siglo pasado. El dulce elaborado a partir de la remolacha no podía competir con el azúcar de caña que Estados Unidos recibía de distintos países. El panorama cambió drástica y rápidamente cuando el cultivo del betabel pasó a formar parte de la agenda oficial de fomento agroindustrial: el otorgamiento de primas, facilidades y exenciones de impuestos fue complementado con un arancel de setenta y cinco por ciento a la importación de azúcar de caña. De este modo, hacia 1906 se había logrado triplicar el área de cultivo del betabel a 376 000 acres, que una década más tarde llegó a 750 000.

Cada nuevo acre de tierra de betabel aumentaba la necesidad de trabajadores. Las compañías

betabeleras habían procurado atraer inmigrantes alemanes, belgas y polacos con escaso éxito. Los europeos buscaban comprar tierras y ser independientes. Los trabajadores mexicanos, en cambio, carecían de esa pretensión de arraigo a largo plazo y estaban acostumbrados a trabajos rudos, como el del betabel. De ahí que las compañías echaran a andar un agresivo programa de contratación de mano de obra mexicana.

En 1903 llegaron al valle del Colorado los primeros trabajadores mexicanos; seis años más tarde, en 1909, constituían más de una tercera parte del total (40 por ciento) de los trabajadores del betabel. A finales de los años treinta había no menos de 66 000 trabajadores temporales de origen mexicano en las plantaciones de remolacha.

Una tercera parte (34.7 por ciento) eran mujeres. En verdad, se trataba sobre todo de familias trabajadoras con un promedio de 4.4 miembros mayores de catorce años.

Un amplio repertorio de enganchadores y contratistas se encargaba de reclutar a la mano de obra y de transportarla a las plantaciones betabeleras. Los trabajadores que laboraban en las montañas Rocosas eran buscados en El Paso, Texas; la región del medio oeste –Michigan, Minnesota y Ohio– se abastecía de jornaleros en San Antonio, Texas; los estados de Montana, Utah, Wyoming y Colorado tenían su centro de reclutamiento en la ciudad de Denver.

La necesidad de mano de obra era de tal magnitud que los estados fronterizos, que por tradición habían disfrutado de abundante mano de obra mexicana empezaron a tener problemas para conseguir y

LOS BETABELEROS

Año de mil novecientos
veinte y tres en el actual
fueron los betabeleros
a ese "Michiga" a llorar.

Por qué todos los señores
empezaban a regañar,
y Don Santiago les responde:
Yo me quiero regresar.

Por qué no nos han cumplido
lo que fueron a contar,
aquí vienen y les cuentan
que se vayan para allá
porque allá les tienen todo
que no van a batallar.

Manuel Gamio. *Mexican Inmigration to the United States*

NECESITAMOS TRABAJADORES

Condiciones que Nunca Antes se Habían Concedido

800 TRABAJADORES son necesarios para el desahije de betabeles de azúcar en Fort Morgan, Longmont, Greeley, Brighton, Fort Collins, Eaton, Windsor y otros pueblos en Colorado.

El trabajo comienza este mes.

Las casas se darán gratis.

No se cobra comisión.

El pasaje es libre para todos los trabajadores y sus familias.

Las comidas se darán aquí y en el camino hasta el destino de su trabajo, LIBRES.

Suplicamos a ustedes presentarse en nuestra oficina libre de enganche.

Calle Sur Santa Fé, No. 925, El Paso, Texas, en donde tomará todos los informes necesarios.

HOY ES SU OPORTUNIDAD

GREAT WESTERN SUGAR COMPANY, DE DENVER, COLORADO

retener trabajadores. El trabajo del betabel, se sabía, era duro y desgastante; no sólo eso. La cosecha se realizaba en otoño, cuando el frío lo hacía más pesado.

En las plantaciones de betabel de Montana y el medio oeste, donde las condiciones de vida eran menos amables, los empresarios procuraban fijar a la mano de obra promoviendo la migración familiar. Para ello, las compañías ofrecían facilidades de alojamiento y buscaban la forma de emplear a los operarios, aunque fuera de manera eventual, durante el invierno. De ese modo, se evitaban los gastos de contrataciones sucesivas y, sobre todo, se aseguraban el abasto regular de trabajadores.

El auge de la industria del azúcar de remolacha

IMPORTANTE A LOS TRABAJ.
DORES DEL BETABEL

Avisamos a los trabajadores mex
canos que se dedican al trabajo de
Betabel, que procuren hacer su con
tratos con la OMAHA ENPLOY
MENT BUREAU, de Omaha, Nebr
Casa acreditada y perfectamente co
nocida, en donde encuentran todo
muy buena acogida.—121 North 15th
St. Omaha, Nebr.

duró mientras estuvo
protegida. De hecho, en los
años treinta se empezó a
cuestionar su viabilidad.
Frente a un cultivo que
requería de mucha mano de
obra y la amenaza perma-
nente de la importación de
azúcar, había que tecnificar
la producción. Pero eso se
tardó. Fue a partir de los
años setenta cuando,
mediante modificaciones
genéticas, se logró unifor-
mar el tamaño del tubércu-
lo, ello posibilitó el desarrollo de máquinas
cosechadoras. Donde antes
cientos de trabajadores se
agachaban y escarbaban en
busca de la "bola de
betabel", ahora se emplean
dos operarios de campo,
que siguen siendo mexica-
nos pero que nada más se
encargan de recoger los
productos que la máquina
no alcanza a recuperar.

Acepté un reenganche, 1926

Cuando regresé a El Paso acepté un reenganche para los campos de remolacha del estado de Colorado. En el contrato se estipulaba cierto número de acres para remover la tierra, desyerbar y todo el trabajo de la remolacha. Como trabajaban conmigo mi esposa y mis hijos podíamos aventajar bastante y ganábamos buen dinero. Estuvimos como un año en los campos de remolacha y luego regresamos a Ojo de Agua, Guanajuato.

Manuel Gamio. *El inmigrante mexicano. La historia de su vida*

El tiempo de las deportaciones

DOCUMENTOS DE LA INDEPENDENCIA

LA OPINION

Lo mismo que compr...
un cuarto o piezas...
50% en la ...

VENTA

Compre AHORA y ...

620 S. Main

LA OPINION

DIARIO POPULAR INDEPENDIENTE

AÑO IV ★ DIRECTOR: IGNACIO E. LOZANO ★ Los Ángeles, California, Domingo 13 de Julio de 1930. ★ Entered as second class matter Sept. 15, 1926, at the Post-Office at Los Angeles, Calif., under the Act of March 3, 1879

10,000 DEPORTADOS EN UN...

EL DOCTOR PUIG SALIO PARA EU...

...RA CREADA ...RAZA DEL ...UPERHOMBRE

...onoff declara que está ...entro de los límites de ...a posibilidad

...descubierto, dice, que ...una tercer glándula au-...menta fuerza y tamaño

Por Miles W. VAPGHN

...orresponsel de la United Press ...OKIO, Japón, Julio 12.—El desa-...rollo de una raza de suprem-...por medio de los injertos gian-...

Hará un Viaje de 6 Meses

PRENSA UNIDA DE MEXICO CIUDAD DE MEXI-CO, Julio 12.—Des-empeñando una co-misión especial del Presidente Ortiz Rubio en diferentes países europeos, el Dr. José Manuel Puig Casauranc, via-ja hoy en la noche hacia Ve-racruz, donde se embarca-rá con des-tino a Francia.

El doc-

FUNCIONARA EN EL PNR LA INSTALADORA

El diputado Medrano ex-tenderá ahí las creden-ciales a los presuntos

La razón es que Medrano tenía de antemano un buen local en el PNR

PRENSA UNIDA DE MEXICO CIUDAD DE MEXICO, Julio 12.—El Partido Nacional Revoluciona-rio aseguró hoy el control absolu-to de la próxima Legislatura Na-cional, al anunciarse que el regis-...de credenciales de los presuntos

CONTRA LAS ELECCIONES SANGRIENTAS

En qué consiste el Sistema que estudia el Presiden-te de la República

La representación propor-cional es el mejor méto-do para México, creen

Córresp. Esp. para LA OPINION CIUDAD DE MEXICO, Julio 12.—Dando una sencilla explicación de lo que consiste el sistema de representación proporcional en las elecciones populares, y decla-rándose partidario de este método,

Nota Social: Distinguidos Viajeros

He aquí a la familia Portes Gil, que hoy en la noche viaja rumbo a Nueva York. De izquierda a derecha: el Pre-sidente del PNR, su hija Rosalva y su esposa, doña Carmen García, de Por-tes Gil, quien será internada en el Sa-natorio de los hermanos Mayo. Inser-to, un 'close-up' del ex-Presidente.

A lo largo de un siglo de idas y venidas, un sinfín de trabajadores mexicanos ha sido sistemáticamente expulsado al cruzar la frontera de manera subrep-ticia. De ello se ha encarga-do, desde su fundación en 1924, la Border Patrol. Esta situación, conocida y habitual en la vida migrante, se modificó cuando se iniciaron las deportaciones masivas que, en total, suman tres grandes episodios en poco más de tres décadas. Fueron tiempos duros para los trabajadores que regresaron a México y para los que se quedaron en Estados Unidos.

La primera deportación de gran envergadura se dio en 1921 durante el gobier-no del general Alvaro Obregón. El detonador fue la crisis que se suscitó como consecuencia del fin del *boom* económico de la

Cuando se acabó el trabajo

[...] En julio de 1928 me fui a Chicago a trabajar en la Illinois Steel Company, donde trabajaba mi cuñado. Estuve allí hasta julio de 1931, cuando me regresé a Arandas porque ya no había trabajo.

Paul S. Taylor. *A Spanish-Mexican Peasant Community. Arandas in Jalisco. Mexico*

Regresar o quedarse

La Gran Depresión de 1930 acarreó la repatriación de la gente a México. La familia de mi padre estaba en la lista de los que tenían que salir. El día de la salida mi hermano Mag desapareció. Perdieron el tren porque Mag no quería regresar a México. Mi padre estaba enojado con él pero finalmente decidieron quedarse en Estados Unidos.

Tillie López Medina. *Señoras of Yesteryear*

Integrantes del Comité de Auxilios a repatriados en Ciudad Juárez, Chihuahua.

posguerra que desencadenó una ola de desempleo en Estados Unidos. Los primeros afectados fueron aquellos que poco antes, en 1917, habían sido llamados a colaborar con el esfuerzo bélico: los trabajadores mexicanos.

Día con día, en los campos de remolacha de Michigan, en los plantíos de algodón en Texas, en los centros mineros de Nuevo México y Arizona y en las fábricas y fundidoras de Chicago y Nueva Jersey los trabajadores migrantes vieron desaparecer sus empleos. Entre 1921 y 1924 fueron deportados más de 30 000 compatriotas. Como quiera, la promesa del reparto de tierras en México mitigó en parte la angustia y la precariedad de los recién llegados.

El presidente de la República encabezó los programas de repatriación. La tarea era inmensa, sobre todo en un país que acababa de salir empobrecido de una larga y cruel guerra civil. El gobierno ofreció el regreso sin costo en los ferrocarriles a todos los expulsados hasta su lugar de origen. De lo demás se encargaron las organizaciones caritativas y la población civil que ayudaba en su paso a los repatriados y, desde luego, las familias de los deportados.

A finales de esa misma década, en 1929, se inició la segunda gran deportación que a lo largo de diez años (1929-1939) expulsó a más de medio millón de

Sobrevivir en la Depresión

Durante la Gran Depresión mi padre construyó un cuartito en la parte de atrás de la casa. Construyó además un vagón de madera. Cada mañana, él y mis tres hermanos iban a recoger el carbón que los trenes tiraban a lo largo de la ruta. Algunas veces los maquinistas arrojaban el carbón a propósito porque los carros iban muy cargados. Ponían los sacos llenos de carbón en un carrito y así los transportaban hasta el cuartito de atrás. Allí lo almacenaban porque todo el carbón y la leña que se podían conseguir se utilizaba para cocinar y calentar la casa.

Juanita y Arnold Vasquez. *Señoras de Yesteryear*

Llegada de los primeros repatriados a las oficinas del Comité de Auxilios

Ayudar al marido

Para complementar el ingreso de Ignacio, especialmente durante la Gran Depresión, yo cociné e hice lonches para parientes y amigos. Puesto que yo sabía coser, hice ropa para mis amigos por 50¢ la pieza.

Margarita Ruiz Maravilla. *Señoras de Yesteryear*

trabajadores y sus familias. En esa época todas las actividades económicas fueron afectadas. Pero también la vida social –los clubes, sociedades, festividades y eventos de convivencia– que ayudaba a la integración de la comunidad migrante disminuyó mucho, recuerdan los que se quedaron en Estados Unidos. Aunque las estadísticas mexicanas y norte-

americanas rara vez coinciden, en este caso ambas reportan cifras similares. Entre 1929 y 1932 fueron deportadas, en promedio, cinco mil personas cada mes. En 1933-1934 el promedio disminuyó a tres mil y entre 1935 y 1937 descendió aún más: casi 1 200 personas mensuales. En 1939 rebrotó el ímpetu deportador: ese año se consignó la salida forzosa

de 20 000 personas. La fiebre deportadora llegó hasta Alaska. Desde allá un grupo de migrantes mexicanos solicitó al gobierno federal que cooperara con el transporte y les proporcionara trabajo o tierras para poder reincorporarse al terruño.

De hecho, las deportaciones obligaron a diseñar soluciones para los regresados. El gobierno del

UNA HERENCIA TRISTE

Nosotros no habíamos comprado muebles sino que "heredamos" las cosas que tuvieron que dejar nuestros amigos y parientes cuando fueron repatriados a México a principios de los años treinta, durante la Gran Depresión.

Margarita Ruiz Maravilla. *Señoras de Yesteryear*

general Lázaro Cárdenas inició varios proyectos de colonización que acogieron repatriados. Dos se ubicaron en el centro-sur del país: la colonia agrícola de El Coloso en Guerrero y Pinotepa Nacional en Oaxaca, y tres en la franja fronteriza: El Meneadero en Ensenada, otra en el valle de Mexicali en Baja California Norte y la Colonia 18 de Marzo en Matamoros, Tamaulipas.

Los que se quedaron en Estados Unidos recuerdan esa etapa negra en que parientes y amigos tuvieron que abandonar casas, barrios, escuelas y trabajos. La ausencia se dejó sentir en los barrios de Pilsen en Chicago, en la colonias obreras de Gary, en los poblados mineros de Arizona y en el barrio bronco del Este de los Angeles. A la tristeza por la partida de parientes y paisanos, se sumó la preocupación por el reclutamiento militar. Se avecinaba la segunda guerra mundial en la que muchos méxicoamericanos serían incorporados a las filas.

Una nueva ola de deportaciones se suscitó a comienzos de la década de 1950. El fin de la guerra de Corea regresó a Estados Unidos a miles de soldados en busca de trabajo. De nueva cuenta, se culpó a los trabajadores migrantes de ser la causa del desempleo. En ese ambiente turbulento y caldeado se llevó a cabo la última gran deportación que fue conocida como "Espalda Mojada".

La crisis actual, 1931

Crisis y deportación
nos trae con mucho cuidado,
a todos los mexicanos
que aquí nos hemos quedado.

Aquí antes en los talleres
mexicanos ocupaban
sin que supieran inglés
muy buenos sueldos ganaban.

Pero ahora todo ha cambiado,
por dondequiera he perdido,
pues por no ser ciudadano
buen trabajo no he tenido.

El modo de repatriarnos
y algún modo hay que buscar
sin que como a otros hermanos
nos vayan a deportar.

Por toditos los billares
han empezado a echar corte,
han llevado a la cárcel
al que no trae pasaporte.

La crisis en general
ya la empiezan a notar
Sólo Dios sabe señores
en qué esto venga a parar.

Ya con ésta me despido
de toditos mis amigos.
Vamos en deportación.
¡Adiós Estados Unidos!

C. Cuevas
Compositor

En 1950 se reportaron 485 215 deportaciones, al año siguiente fueron medio millón, en 1952 la cifra llegó a 543 538, en 1953 se incrementó a 865 318 y en 1954 hubo más de un millón de expulsados. Según dicen, la operación Espalda Mojada fue un éxito: en 1954 un promedio de 2 000 personas eran expulsadas cada día.

Como siempre, una paradoja. Al mismo tiempo de las expulsiones, ingresaba al país un número semejante de migrantes legales, que llegaban contratados bajo la cobertura del Programa Bracero. En total, durante la etapa de vigencia de los convenios braceros (1942-1964) fueron deportados cerca de cinco millones de migrantes indocumentados.

Las uvas de la ira

La deportación de trabajadores mexicanos de comienzos de los años treinta coincidió con cambios profundos en el régimen de tenencia y usufructo de la tierra en el sur y medio oeste de Estados Unidos. La vida de rancho, donde abundaban los medieros y pequeños propietarios; las estancias de ganado con grandes pastizales, tuvieron que dejar lugar a la producción agrícola de gran escala, a la grandes compañías que anunciaban la llegada del capitalismo a la agricultura. Campesinos, granjeros pobres, medieros y rentistas norteamericanos fueron expulsados de sus tierras y comenzó para ellos la migración hacia el oeste en busca de alternativas de vida y trabajo.

En los campos de California y Texas había puestos vacantes. Se requerían brazos que reemplazaran a los mexicanos, aunque en condiciones laborales similares a las de los deportados. Pero hubo diferencias. Reportajes, noticias y novelas inolvidables como *Las uvas de la ira* de John Steinbeck empezaron a dar cuenta de las pésimas condiciones en que transcurría la vida de esos inmigrados norteamericanos

en el oeste y la nación empezó a preocuparse. Ahora eran jornaleros blancos los que tenían que soportar a mayordomos y contratistas, los que trabajaban de sol a sol, los que vivían encerrados en campamentos custodiados por guardias privados.

La situación era tan alarmante que obligó a varias instituciones oficiales a buscar la manera de conocer la situación para poder paliar los problemas. Una de ellas fue la Farm Security Administration (FSA). Esta institución federal tenía a su cargo programas como el establecimiento de campamentos agrícolas modelo y la creación de oficinas de contratación que proporcionaran ayuda directa a los migrantes. Pero, para poder recabar fondos y convencer a los políticos de la necesidad de legislar respecto de la condición de la gente del campo, era imprescindible dar cuenta de la situación en los campamentos, en los centros de trabajo.

Así se echó a andar un ambicioso proyecto de documentación fotográfica sobre el mundo laboral norteamericano en el que participaron fotógrafos tan reconocidos como Russel Lee, Arthur Rothstein, John Vachon y Dorothea Lange. Su recorrido visual por el mundo del trabajo norteamericano se encuentra

resguardado en la fototeca de la Biblioteca del Congreso en Washington, DC y constituye sin lugar a dudas el recuento gráfico más importante de la época y del país.

Dorothea Lange tenía una historia personal que, de algún modo, la relacionaba con México. Ella vivía en California y estaba casada con Paul S. Taylor, un economista rural norteamericano que había vivido en nuestro país, en especial en la región de los Altos de Jalisco en 1930-1931. Como se sabe, con su estudio de Arandas, Paul S. Taylor se convirtió no sólo en el pionero sino también en uno de los especialistas más destacados y desde luego más originales en el campo de los estudios migratorios entre México y Estados Unidos. Fue precisamente a ella a quien le tocó documentar el mundo laboral en la franja oeste del país, donde, en la segunda mitad de la década de 1930, trabajaban al unísono blancos pobres, negros y los mexicanos que no habían sido expulsados. Entre las fotografías de la FSA destaca su trabajo por su amplitud y calidad.

A la FSA le preocupaban en especial tres problemas: la vivienda, el transporte y

el ambiente laboral. De ahí
que ella haya realizado
innumerables fotos de la
vida cotidiana en los
campamentos, de la manera
en que se llevaban a cabo
diferentes actividades
agrícolas, de los migrantes
en ruta hasta su siguiente
lugar de destino. Parecían
fascinarle esos increíbles
coches y camionetas,
verdaderas casas rodantes,
donde se desplazaba la
familia migrante, incluidos
pertenencias y animales.

A la tarea encomenda-
da, Dorothea Lange añadió
su propia mirada: buscaba a
los trabajadores en los
surcos y campos de cultivo
donde fotografió de cerca
las manos y pies de los
braceros, tan llenos de
surcos como los campos
donde trabajaban. Pero
también los esperaba a la
hora del descanso y del

reencuentro familiar. Así, fotografió de manera insistente a las familias de los migrantes, en especial los rostros de las mujeres, ancianos y niños; se preocupó por documentar el trabajo infantil y la situación de los ancianos.

Lange dio cuenta además de los momentos de crisis, cuando el desempleo hacía crecer las colas de trabajadores a la espera de ser contratados; cuando se dejaban sentir los conflictos sociales y los contrastes raciales; cuando la tensión se convertía en huelgas.

La era de los braceros

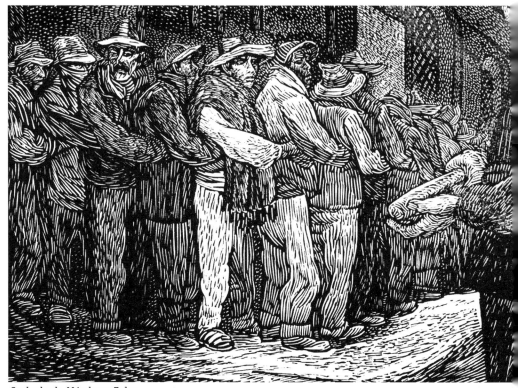

Grabado de Méndez y Zalce

Como se sabe, el inició de la década de 1940 encontró a Europa inmersa en las batallas de la segunda guerra mundial. Estados Unidos, entretanto, observaba la contienda en un tenso compás de espera que de cualquier modo fue aprovechado por la industria bélica para trabajar a toda marcha. En septiembre de 1941, el sector agrícola norteamericano había perdido un millón de jornaleros que se habían desplazado hacia el empleo industrial. Los agricultores aprovecharon la situación para solicitar al gobierno que autorizara la importación de mano de obra mexicana.

La aparente calma se rompió para siempre el 7 de diciembre de 1941, cuando los aviones japoneses atacaron Pearl Harbor. Estados Unidos declaró la guerra e inició un proceso de reclutamiento que significó el enrolamiento de doce millones y medio de norteamericanos. Todo el país se puso a trabajar, pero cada día era más notoria y urgente la necesidad de trabajadores adicionales que suplieran a los ausentes, que llenaran los vacíos laborales que generaba la incorporación de las mujeres al mercado de trabajo. Cada soldado enrolado representaba una baja en el frente interno de la producción.

En los primeros días de junio de 1942, México

declaró la guerra al Eje y se integró al bando de los aliados. Así, el ingreso de Estados Unidos a la segunda guerra mundial y la toma de posición de México tuvieron consecuencias inmediatas y profundas en el campo migratorio. Si los años treinta estuvieron marcados por las deportaciones, las décadas de los cuarenta y cincuenta se definieron exactamente por lo contrario, es decir, por las contrataciones.

Días después de la alineación de México con los aliados, llegó al país la primera propuesta oficial norteamericana de demanda de trabajadores en aras de un esfuerzo bélico común. En apenas diez días se llegó a un primer acuerdo, el Primer Convenio Bracero, que con pocas variantes fue refrendado en los veintidós años siguientes.

El primer acuerdo se firmó el 4 de abril de 1942. Por primera vez, el gobierno logró un trato más o menos favorable para los trabajadores migrantes. El gobierno norteamericano y los empleadores debían hacerse cargo de los gastos de transporte y manutención de los trabajadores durante el viaje y se obligaban a proporcionarles alojamiento adecuado y alimentación a bajo costo en los lugares de destino. Se estipulaba el salario que, se decía, no

LOS BRACEROS EN IRAPUATO

En 1946, señalaba el gobernador Lic. Nicéforo Guerrero, habían llegado a la estación de Irapuato 14 180 candidatos a ser contratados como braceros, aunque no todos eran de Guanajuato.

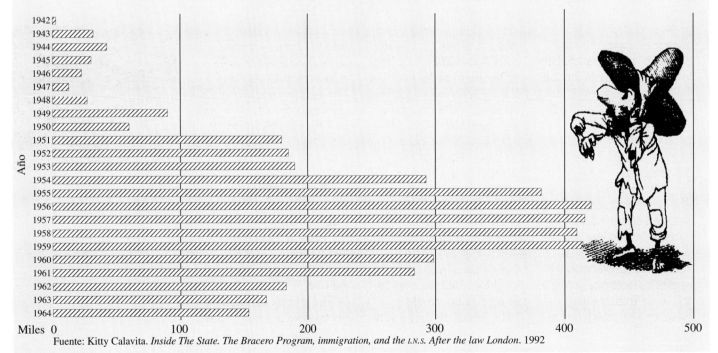

MEXICANOS ADMITIDOS EN EL PROGRAMA BRACERO, 1942-1964

Fuente: Kitty Calavita. *Inside The State. The Bracero Program, immigration, and the I.N.S. After the law London.* 1992

podía ser inferior al que se pagaba en condiciones normales por esa tarea. Por lo pronto, el salario mínimo se fijó en treinta centavos la hora y se estableció una especie de seguro de desempleo que estaría vigente durante el período del contrato.

México exigió, además, que la contratación se realizara en territorio nacional, como una manera de evitar el abuso de las compañías contratistas y enganchadoras que pululaban en la frontera. Las primeras contrataciones se llevaron a cabo en septiembre de 1942 en las oficinas de la Secretaría del Trabajo de la ciudad de México. Las largas filas y las interminables horas de espera dieron por resultado la contratación de 4 203 braceros.

Entre los migrantes de la época existía la clara conciencia de que con su trabajo contribuían a una causa mayor: el esfuerzo bélico de los aliados. El primer contingente de trabajadores llegó a Stockton, California, el 29 de septiembre de 1942. Todos portaban un distinti-vo con la v de la victoria y los vagones de los trenes llevaban inscripciones en el mismo sentido. Así, los primeros braceros quedaron retratados para siempre por Dorothea Lange, quien, en compañía de un comité de damas de origen mexicano, estuvo en el andén esperando el arribo de los vagones para darles la bienvenida.

Hubo recibimientos amables en otros sitios. En Dakota del Norte, por ejemplo, fue el propio gobernador quien saludó a los trabajadores mexicanos,

en un largo discurso, además les informó que su pueblo y gobierno los recibían con los brazos abiertos y les agradeció su colaboración. Los años de xenofobia y persecución parecían haber quedado atrás. Los braceros eran ahora bienvenidos. Los campos debían ser labrados y cosechados; en las huertas había que podar, regar, pizcar; los productos

tenían que ser seleccionados, envasados, enlatados. El mundo agrícola norteamericano pasó a depender en buena medida de la mano de obra mexicana.

En un principio se pensó que el programa debía restringirse al ámbito agrícola, pero muy pronto se hizo evidente que se requerían trabajadores para el mantenimiento de las vías férreas que eran indispensables para el movimiento de productos, tropas y pertrechos. De nada servía incrementar la producción si ésta no llegaba a su destino a tiempo. Así, se creó un programa paralelo de braceros ferroviarios que movilizó a miles de trabajadores a los rieles. Muchos de ellos estaban familiarizados con ese trabajo porque ellos o sus familiares habían sido constructores de esas vías.

Al año siguiente, 1943, se multiplicó el número de contratados: 52 098 trabajadores. En esa ocasión fue preciso improvisar oficinas y salas de espera en el estadio de la ciudad de México. Y es que la oferta de trabajadores superó todas las expectativas: había muchos más candidatos que vacantes. Después de días de espera e infinidad de trámites cundió la impaciencia, sobre todo entre aquellos que llegaron tarde y no alcanzaron lugar. La policía y los bomberos tuvieron que controlar a los inconformes.

En 1944 sucedió otro tanto, pero también los requisitos aumentaron. Además de las entrevistas y

Bienvenida a los braceros en Dakota del Norte
Discurso del Gobernador Sr. Moses el 16 de agosto de 1944

Habéis venido a ayudarnos en nuestra más difícil y más importante tarea en tiempos de guerra: la de levantar las cosechas y embarcarlas para suministrar víveres, ropa y equipo necesario para nuestros soldados y nuestros aliados combatientes... México y Estados Unidos se yerguen hombro con hombro por una causa común... Nos enfrentamos a la escasez más crítica de trabajadores agrícolas en la historia de nuestro estado. Los hombres provenientes de nuestros campos, nuestras ciudades y poblados se han incorporado a las filas de nuestras fuerzas militares... [Ese año se esperaba una cosecha récord de granos y productos agrícolas, pero había escasez de mano de obra].

Cada hora que pasen en los campos de cultivo será una aportación directa a la causa por la que todos luchamos. Los granjeros y hacendados de Dakota del Norte se enorgullecen de su hospitalidad. Desplegarán sus mejores esfuerzos para que puedan gozar de comodidad y para hacer placentera y memorable su visita.

Archivo de Relaciones Exteriores, III 716 13. III 553(72:73)/153 59

el papeleo, los aspirantes debían pasar un examen médico general. Después, los seleccionados debían someterse a un análisis de sangre para detectar sífilis y a los rayos x para detectar tuberculosis. Finalmente, a los escogidos se les vacunaba y fumigaba con insecticida. En total, ese año fueron contratados 62 170 braceros.

En 1944 se decidió abrir otros centros de contratación. Los lugares escogidos fueron Guadalajara en Jalisco e Irapuato en Guanajuato. Este último, un centro ferrocarrilero clave

para el desplazamiento al norte, se convirtió, por mucho tiempo, en el lugar privilegiado para la contratación de braceros. En ocasiones salían varios trenes al día rumbo a la frontera. Después, el centro de contratación se trasladó a Empalme, Sonora. El lugar de contrataciones se había ido acercando a la frontera.

A mediados de los años cincuenta el número de braceros contratados se acercó al medio millón. El auge económico de la

posguerra requería, de nueva cuenta, de mano de obra barata.

El Programa Bracero estuvo vigente durante los años de la guerra (1942-1945) y hubo convenios subsecuentes y similares durante las siguientes dos décadas. En total, estuvo en vigor durante 22 años (1942-1964) y movilizó a 4 646 199 braceros que ingresaron con contratos legales a desempeñar

SOY BRACERO MEXICANO

Soy bracero mexicano
he venido a trabajar
para esta nación hermana
que me ha mandado llamar.

A mi país piden brazos
para poder subsistir
a los que están en la lucha
sin el temor de morir.

Anónimo

labores en prácticamente toda la geografía agrícola de Estados Unidos. La mayor parte de los braceros provenía de los estados del centro-occidente del país donde la costumbre de migrar se había iniciado desde comienzos de siglo: Guanajuato (13.6 por ciento), Jalisco (11.2), Chihuahua (10.7), Michoacán, (10.6), Durango (9.4), Zacatecas (9.3). Al mismo tiempo, unos cinco millones de trabajadores indocumentados fueron deportados durante el mismo lapso.

Las contrataciones en un pueblo de Jalisco

La historia de la emigración en Concepción de Buenos Aires comenzó con la carta que llegó a esa pequeña población de poco más de tres mil habitantes a finales de 1942. En ella, la Secretaría General de Gobierno, de acuerdo con una solicitud de la embajada norteamericana y con base en los convenios firmados entre México y Estados Unidos para la contratación de trabajadores para las labores del campo en el país del norte, pidió a los municipios que enviasen un informe "...precisando con toda exactitud el número y tipo de personas de ese municipio que deseen y puedan ser contratadas para faenas agrícolas...".

Sin embargo, al año siguiente llegó la noticia de que los "...aspirantes a braceros originarios de los estados de Michoacán, Jalisco y Guanajuato, no pueden ser contratados para emigrar a los Estados Unidos...". Al parecer, esta medida tuvo que ver con los reclamos de los gobernadores de esos estados por la pérdida de paisanos que acarreaba la emigración; pero se complementó con la cancelación de contrataciones por parte de los norteamericanos que persistió durante 1944. Todavía en 1946 se solicitaba a las autoridades locales que no proporcionaran recomenda-

ciones o certificados. En vez de eso hay que "hacerles ver a los trabajadores la inutilidad de su traslado a la frontera norte para tratar de internarse en Estados Unidos, sin tener los contratos respectivos...".

La situación cambió de nuevo al año siguiente. A principios de mayo de 1947 llegó un telegrama urgente del diputado Pedro Rodríguez por el cual se autorizaba "...una cuota inalterable..." de veinte braceros en el municipio. Los candidatos debían ser "...necesariamente personas dedicadas a las labores del campo...; de preferencia elementos jóvenes, debiendo estar en perfecto estado de salud, que serán sometidos a exámenes médicos rigurosos...". Como se suponía que el número de solicitantes iba a exceder al

de los autorizados se previó que se hiciera un sorteo "...de todos los candidatos para que la suerte determine quienes resultan favorecidos con la contratación...".

El 12 de mayo a las diez de la mañana se reunieron 71 aspirantes a "prestar sus servicios en Estados Unidos...". Cada candidato inscrito en la lista sacó de una ánfora de

Adán en el norte

Para don Adán, quien fue a Estados Unidos durante once años seguidos, el trabajo al otro lado le permitió sobrellevar la etapa más dura de la falta de empleos en Concepción que fue al mismo tiempo el período más difícil de su vida familiar: cuando sus hijos nacieron y crecieron. Aunque don Adán no fue el primer bracero, fue uno de los más perseverantes: viajó cada año sin interrupción entre 1956 y 1966.

Su historia migratoria comenzó el día en que oyó por el radio que había contrataciones para la pizca del algodón en Sonora. Él, de 21 años, estaba casado desde hacía seis y tenía tres hijos pequeños. Trabajaba como resinero y su ingreso, para una familia que crecía, era cada día más insuficiente. Decidió irse. Ya había otros en el pueblo que lo habían hecho con buenos resultados.

Un día, solo, tomó el autobús que lo trasladó de Concepción a Guadalajara y de ahí otro a Navojoa, Sinaloa. Llegó al centro donde lo recogieron para llevarlo a Hermosillo, Sonora. Ahí trabajó en la pizca del algodón. Los algodoneros de Sonora habían aprendido a aprovechar a los trabajadores que querían cruzar al otro lado. Para darles el pase tenían que realizar una tarifa fija: pizcar dos mil kilogramos de algodón en un plazo de 30, 45 ó 60 días, con lo cual obtenían la oportunidad de ir a trabajar a Estados Unidos.

Cuando don Adán alcanzó su cuota le dieron la recomendación para Empalme. Ahí se presentó en la oficina, mostró su carta, le dieron una ficha, pasó a la oficina de control y le hicieron su primer contrato. Al otro día tomó el tren a la frontera y de ahí al Centro de Contratación en Mexicali. Le hicieron una revisión general, análisis de sangre y lo vacunaron.

En ese tiempo todos los contratos eran por 45 días. Después de ese período los sacaban, aunque hubiera trabajo. Los patrones que tuvo en Sonora le habían pedido que volviera con gente trabajadora como él. Y así lo hizo. Desde entonces cada año lo acompañaban unos quince o dieciséis vecinos de Concepción.

continúa...

Al mes de estar trabajando en el algodón empezaban a rifar las cartas para el otro lado. Rifaban cincuenta cartas para cien personas. La ventaja de don Adán, por llevar gente, era que los patrones le garantizaban esa carta. Es decir, aunque lo metían al sorteo de cualquier modo tenía la recomendación.

La primera vez, en 1956, fue a Stockton, California, a la pizca del jitomate, una tarea más pesada que la del algodón: había que sacar los tomates del surco, llenar las cajas y sacarlas del campo. Le pagaban de $ 0.14 a 0.16 centavos la caja. La segunda ocasión fue a Manteca, cerca de Stockton, al jitomate. Ahí se dio cuenta de que se ganaba más de cargador, es decir, subiendo las cajas a los trailers. Esos vehículos jamás se detenían para obligar a la gente a trabajar sin cesar. Tenían que cargar mil cajas en cuarenta minutos. En un día cargaban entre cuatro y cinco trailers. Se pagaba por carga: $ 4.20 por trailer. Decidió que para ganar más, debía pizcar al mismo tiempo: apenas terminaban un trailer se iba a recoger jitomates a toda velocidad. En una jornada alcanzaba a pizcar setenta cajas. Claro, los primeros días terminaba con los brazos terriblemente adoloridos. Pero se consolaba pensando que sólo eran 45 días.

En su tercer viaje le tocó ir al jitomate pero en Sacramento, California. El horario era de 9:00 a 5:00, es decir, 8 horas, con una hora para comer al pie del trabajo: ahí les servían pastas, carne. Al salir del trabajo se iba a la barraca donde vivía. Él siempre vivió en barracas. En una ocasión, el local era tan grande que tenía dos pisos: había mil personas arriba y mil abajo. El problema era que había una sola cocina: los trabajadores se dormían formados en la cola para poder alcanzar a comer antes de irse a trabajar. En las barracas había un campero, que era el encargado de cuidar las pertenencias de los trabajadores, pero en esa ocasión resultó que el mismo campero era el ladrón. Le robó $30 dólares. Desde entonces, tuvo que cargar el dinero consigo aunque se le empapara con el sudor del cuerpo. Les pagaban cada decena y sólo les descontaban la comida.

La cuarta vez cambió de estado: fue a Mesa Yuma, en Arizona, otra vez al algodón. En esa ocasión logró

continúa...

Forma FS-497
3-15-59

Servicio Exterior de los Estados Unidos de América

CUESTIONARIO PARA DETERMINAR LA CALIDAD DE UN INMIGRANTE DENTRO DE LA CATEGORÍA DE CUOTAS O FUERA DE LA MISMA Y SOLICITUD DE REGISTRO

AL CONSUL DE LOS ESTADOS UNIDOS EN .... FECHA: ....

INSTRUCCIONES

1.—Este formulario es válido exclusivamente para usted, su cónyuge y sus hijos no casados de menos de 21 años de edad. Cualquiera otro de sus parientes que desee acompañarle o, por separado, inmigrar a los Estados Unidos, deberá llenar un formulario individual. Es preciso contestar cada una de las preguntas. Este formulario se debe llenar en máquina de escribir o a mano en letras de molde legibles.

2.—Este formulario le será devuelto. En caso de que la cuota de inmigración a que usted fuere asignado se halle totalmente cubierta y no sea posible darle un número dentro de ella, este formulario indicará su fecha de registro bajo la cuota a la cual usted está sujeto.

3.—Si los números 23 y 24 son llenados por esta oficina, guarde esta hoja, pues es evidencia de su registro.

1.— (Apellido) — (Apellido materno) — (Nombre de pila)

2.—OTROS NOMBRES, ALIAS O TÍTULOS POR LOS QUE SE LE CONOZCA (La mujer casada dará su nombre de soltera)

3.—DIRECCIÓN ACTUAL

4.—LUGAR DE NACIMIENTO — 6.—FECHA DE NACIMIENTO

7.—NOMBRE DEL PADRE — 8.—LUGAR DE NACIMIENTO DEL PADRE

9.—NOMBRE DE SOLTERA DE LA MADRE — 10.—LUGAR DE NACIMIENTO DE LA MADRE

11.—NOMBRE DEL CÓNYUGE (Si es mujer, nombre de soltera) — 12.—LUGAR DE NACIMIENTO DEL CÓNYUGE

13.—FECHA DE NACIMIENTO DEL CÓNYUGE — 14.—¿INMIGRAN CON USTED SU CÓNYUGE Y SUS HIJOS? Sí ( ) No ( )

15.—LUGAR DE NACIMIENTO DEL PADRE DEL CÓNYUGE — 16.—LUGAR DE NACIMIENTO DE LA MADRE DEL CÓNYUGE

17.—HIJOS E HIJAS DE MENOS DE 21 AÑOS DE EDAD, QUE LE ACOMPAÑAN

(Nombre) — (Lugar de nacimiento) — (Fecha de nacimiento)

18.—(a) Señale aquí si su padre ( ), su madre ( ), su esposo ( ), su esposa ( ), su hermano ( ), su hermana ( ), su hijo ( ) o su hija ( ) es ciudadano de los Estados Unidos.
(b) Señale aquí si su padre ( ), su madre ( ), su esposo ( ), su esposa ( ), su hermano ( ), su hermana ( ), su hijo ( ) o su hija ( ) se encuentra actualmente en los Estados Unidos en calidad de extranjero legalmente admitido como residente permanente.

VUELTA — VUELTA

19.—Si usted entró en los Estados Unidos como Visitante a Base de Intercambio, sírvase indicar la fecha en se extendió la visa: .... y la fecha de la última prórroga concedida por las autoridades de inmigración de los Estados Unidos.

20.—Si usted o alguna de las personas incluidas en este documento son actualmente residentes de los Estados Unidos, indíquese: fecha de otorgamiento de la visa .... lugar donde se obtuvo la visa: ( ) oficial gubernamental; ( ) visitante (por negocios); ( ) visitante a base de intercambio; ( ) visitante en viaje de placer; ( ) en tránsito; ( ) libre comerciante; ( ) miembro de una tripulación; ( ) estudiante; ( ) de alguna otra clase (especifíquese):

21.—Anote abajo en orden cronológico todos los lugares de residencia, a partir de los dieciséis años de edad, en que usted, su cónyuge y sus hijos menores no casados hayan residido.

CALLE	NÚMERO	CIUDAD O PUEBLO	PAÍS	DE (Mes-año)	A (Mes-año)

22.—Queda entendido que sólo mi cónyuge y aquellos de mis hijos que cuenten con menos de 21 años de edad podrán quedar incluidos en mi registro. Queda entendido además, que en caso de aceptarse mi registro, me comprometeré a tener a ustedes informados acerca de cualquier cambio en mi dirección postal.

(Firma)

(NO ESCRIBA USTED ABAJO DE ESTA LÍNEA)

23.—Esta solicitud fue recibida y su prioridad entra en vigor en la fecha marcada con el sello de abajo.

24.—La persona cuya firma aparece arriba ha dado registrada bajo la 1a. ___ la 2a. ___ la 3a. ___ 4a. ___ preferencia; preferencia ___ o sea la categoría de la cuota asignada a ___

Página Nº ___ Línea Nº ___
Cónyuge: ___
Hijos: ___

CUANDO ESTE DOCUMENTO LE SEA DEVUELTO POR ESTA OFICINA, GUÁRDELO, ES SU REGISTRO. NO OLVIDE NOTIFICAR A ESTA OFICINA CUALQUIER CAMBIO DE DIRECCIÓN POSTAL.

cartón una bola roja o blanca. Con base en ese procedimiento salieron sorteados los veinte agraciados. Sólo uno dijo ser de un lugar distinto a la cabecera.

El presidente municipal les hizo rápidamente la constancia dirigida al jefe del Departamento del Trabajo y Previsión Social del Gobierno del Estado que tenían que presentar para ser contratados. Apenas tuvieron tiempo para despedirse porque salieron hacia Guadalajara donde tres días después, el 15 de mayo, fueron las contrataciones.

Aunque el diputado Rodríguez hizo hincapié en que alguien que no resultase beneficiado en el sorteo era "...inútil que se traslade a esta ciudad, ya que no tendría la más remota probabilidad de ser contratado...", la Presidencia, a solicitud de los interesados, expidió constancias a los que no salieron sorteados. La precariedad laboral local y la demanda de trabajadores en Estados Unidos habían desatado la espiral migratoria en Concepción como en muchos otros lugares.

La situación se agravó al año siguiente, cuando hubo más del doble de

renovar tres contratos y permaneció seis meses en Estados Unidos. En la quinta, conoció Salinas, California, y volvió al tomate. La sexta ocasión le tocó ir al Valle Imperial de California, a la pizca del algodón. En su séptimo viaje, en 1962, fue a Arizona, esa vez a Somerton, pero a una actividad nueva: la pizca de la lechuga. Ahí fue cortador, rociador, empacador, cargador y doblador. Al año siguiente, en su octava incursión, volvió al mismo lugar y quehacer: la lechuga en Somerton. En la novena se movió entre Stockton y Manteca, pero en la pizca de tomate. Su décimo contrato fue para Somerton, a la pizca del algodón. Ahí obtuvo otro contrato para la pizca del limón y luego otro para las de la naranja, mandarina y toronja. Por segunda ocasión permaneció en Estados Unidos casi seis meses.

Su último contrato, en 1966, fue en Somerton en la pizca de la lechuga. Él y sus compañeros entraron por Mexicali y salieron por San Luis Río Colorado. En esa ocasión tuvo problemas con un mayordomo mexicano. Lo regresaron por San Luis porque al mayordomo no le convenía que lo hiciera por Mexicali y lo denunciara en el Centro. Esto era algo que podían hacer los trabajadores, con lo cual les iba mal a los mayordomos.

Después de ese incidente ya no quiso volver a ir. Se empezaba a cansar: entre las idas y venidas, había ajustado 37 años. Aunque era muy fuerte aún, para ganar bien debía aceptar labores y jornadas intensas, francamente agotadoras.

Con esos once viajes don Adán se convirtió en testigo y parte de esa etapa en que la emigración de Concepción fue básicamente rural, masculina y temporal. Se trataba de un desplazamiento pautado por el esquema bracero, mediante el cual los hombres jóvenes buscaban ingresos para alguna necesidad precisa o bien esos salarios regulares pero complementarios, que ofrecían los contratos de 45 días, pero siempre con la idea de volver a vivir a Concepción. A don Adán, como a los otros migrantes de ese tiempo, nunca se les ocurrió casarse, llevarse la familia o establecer una en el otro lado.

aspirantes para un número apenas superior de plazas. El secretario general de gobierno no se cansaba de decir a las autoridades locales que hicieran "...intensa labor de convencimiento en los habitantes de ese municipio a efecto de que no abandonen prematuramente sus labores y menos se trasladen a la

ciudad de México…”. Se hablaba incluso de impedir “…la salida de ‘aspirantes a braceros’ a la ciudad de México para evitar, por una parte, aglomeraciones de personas sin trabajo que constituyen un problema por carecer de los elementos económicos necesarios para su sostenimiento y, por otra, perjuicios a la economía del estado, dado que en la mayoría de los casos se trata de gentes que abandonan sus trabajos, engañados, generalmente, con promesas ilusorias de mejoramiento; máxime cuando todavía no se determina ni el número de contingentes que serán contratados, ni las fechas de las futuras contrataciones…”.

De cualquier modo, ante la inminencia de nuevas contrataciones y para calmar los ánimos de la gente que solicitaba informes y exigía constancias, desde mayo de 1948 comenzó a hacerse el empadronamiento de candidatos. De Concepción podían enlistarse 27 hombres, de acuerdo con los siguientes criterios: “…no ser menores de 20 ni mayores de 40 años de edad; estar capacitados físicamente para desempe-

ñar labores agrícolas; y justificar evidentemente que carecen de trabajo. Por ningún motivo deberá empadronarse a los ejidatarios que hayan sido dotados de parcelas, a los obreros especializados (herreros, albañiles, carpinteros, etc.), a los empleados públicos o de empresas privadas...". Había además que hacerles ver "...para que no sufran perjuicios económicos los aspirantes a 'braceros'... que en los Centros de Contratación estarán sujetos a un examen médico y que, los que no reúnan las condiciones físicas adecuadas, no podrán ser contratados y tendrán que regresar a sus lugares de procedencia por su cuenta...".

La tarde del 13 de junio comenzó a reunirse gente desde temprano en la plaza de Concepción. En el kiosko, a las seis de la tarde, se realizó el sorteo de los aspirantes a braceros. A pesar de todas las restricciones y advertencias, hubo 178 empadronados para las 27 plazas disponibles. 154 se registraron como originarios de la cabecera y sólo 24 como nativos de ranchos. La edad de los aspirantes fluctuaba entre 20 y 39 años, lo que daba un promedio de 28 años. Las actividades a las que se dedicaban eran poco variadas. La mayoría se registró como labrador, es decir, como poseedor de algún tipo de propiedad; 67 como jornaleros; 9 ordeñadores; 6 arrieros; 2 resineros; un artesano, un aserrador, un comerciante, un industrial y un tablajero.

Con base en el sorteo público que fue muy concurrido y muy comentado, salieron elegidos los 27 aspirantes de ese año. Entonces también hubo algo de turbiedad en el proceso: por lo menos seis de los agraciados renunciaron de inmediato a sus derechos "...porque mis asuntos familiares... no me

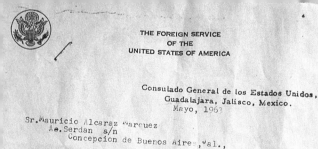

THE FOREIGN SERVICE
OF THE
UNITED STATES OF AMERICA

Consulado General de los Estados Unidos,
Guadalajara, Jalisco, Mexico.
Mayo, 196?

Sr. Mauricio Alcaraz Marquez
Av. Serdan s/n
Concepcion de Buenos Aires, Jal.,

Apreciable señor

De acuerdo con su petición, su nombre ha sido registrado en
nuestra lista de espera de emigrantes. Favor de guardar la forma FS-497
adjunta como prueba de su registro.

En vista del gran número de personas que fueron registradas antes
que usted, puede considerar una espera aproximada de un año para que
se le conceda una entrevista.

Tenga usted la seguridad de que le notificaremos inmediatamente
cualquier trámite adicional en relación con su caso.

FAVOR DE NO ESCRIBIR, COMUNICARSE POR TELEFONO, O
VENIR A ESTA OFICINA A MENOS QUE SEA PARA REPORTAR UN
CAMBIO DE DOMICILIO. NO ENVIE NINGUN DOCUMENTO SI ESTA
OFICINA NO SE LO SOLICITA.

Atentamente,

Otto H. Wagner

Vice Cónsul Americano

permiten emigrar a Estados Unidos...". Como quiera que haya sido, la mayor parte de los afortunados en el sorteo –catorce– eran jornaleros; en menor medida labradores –once–, y apenas un aserrador y un arriero. Veinticuatro de los sorteados eran de Concep-

ción y sólo tres de los ranchos. El 20 de junio de 1948 estaban listos para partir.

Por supuesto que después de tantos preparativos cayó muy mal la noticia de que "...[las] posibilidades [de] trabajo [en las] labores agrícolas en

Estados Unidos han reducídose para julio y agosto...", por lo cual había entrado en "...período de receso la contratación de trabajadores emigrantes mexicanos...[que] "...probablemente reanudaráse [a] partir [de] septiembre próximo...".

En realidad fue hasta octubre y con otra novedad. Los jaliscienses candidatos a braceros debían dirigirse, con urgencia, a la avenida Serdán 528 de Guaymas, Sonora, para ahí contratarse rumbo a Estados Unidos. Los que no pudieran ir hasta ese alejado punto de la geografía nacional, podían ser sustituidos por otros, de acuerdo con los resultados de un nuevo sorteo. Los provenientes de "...zona aftosa lleven consigo equipaje y objetos limpios debiendo pasar por puestos de desinfección en Ixtlán, Nayarit...".

Peor aún cayó la noticia de pocos días después, todavía en octubre, cuando un mensaje "urgente" de la Comisión Intersecretarial Encargada de los Asuntos de los Trabajadores Emigrantes hizo saber que "...dióse por terminada contratación trabajadores emigrantes y clausuráronse nuestras oficinas Centros de Contra-

tación...". Había que tratar entonces de "...evitar movilizaciones contingentes ese Estado... y orientar aspirantes braceros graves perjuicios ocasionaríales emigrar sin protección...".

A estas alturas, ya fue imposible controlar el desplazamiento de la gente. Por una parte, el presidente municipal siguió dando recomendaciones a los que no salían en los sorteos por "...ser persona trabajadora y ser muchos sus deseos para emigrar a los Estados Unidos del Norte en calidad de bracero...". Por otra, algunos de los que ya estaban listos para partir lo hicieron de todos modos. La fuerza de los acontecimientos convertía a los candidatos a braceros en mojados expuestos a los riesgos de la larga y aún extraña travesía hacia el norte.

A algunos, como Rubén Hernández, jornalero de 24 años, los abandonó la suerte. Después de haber salido sorteado en 1947 y 1948 sin poder viajar de manera legal, al año siguiente se arriesgó a ir sin papeles; pero no alcanzó a conocer mucho más allá de la línea. A principios de septiembre de 1949 murió en el desierto poco después de pasar la frontera en Raymondville, Texas.

Martín Ramírez: migrante, autista y pintor

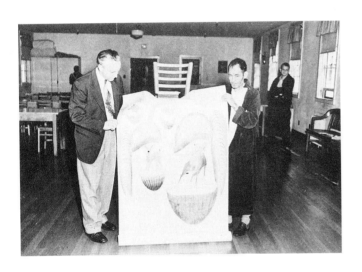

Martín Ramírez, un trabajador mexicano que estaba interno en el manicomio de la población de Auburn, California, le entregó al doctor Tarmo Pasto, en secreto, unos dibujos que guardaba escondidos en su bata de enfermo del hospital De Witt State, en Los Angeles. Así se dio a conocer como pintor. Mejor dicho, empezó a relacionarse con el mundo exterior por medio de sus dibujos. En total, su obra consta de unos 300 dibujos, coleccionados inicialmente por el doctor Pasto, quien tuvo la feliz intuición de recomendarle a Ramírez que se dedicara a pintar como medida terapéutica. En México, su obra se dio a conocer en 1989, a partir de una magna exposición en el Centro de Arte Contemporáneo de la ciudad de México.

En unas notas escritas en 1954 el doctor Pasto señalaba que "...según su historial médico [Ramírez] es esquizofrénico, paranoide crónico e incurable...". Pasto se remitía a la historia clínica sin comprometer un diagnóstico personal. La duda acerca de esa opinión ha sido expre-

sada por estudiosos contemporáneos como Randall Morris. De hecho, la obra no corresponde a los cánones más conocidos de pintura de esquizofrénicos y paranoicos.

El origen y la vida de este personaje siguen en la penumbra. Se cuenta con datos aislados y contradictorios que permiten esbozar apenas una biografía. Según el acta de defunción,

recientemente encontrada por Morris, Ramírez nació el 31 de marzo de 1895, sus padres fueron Gertrudis Ramírez y Juana González y estuvo casado con Ana María Navarro. Murió, de un infarto al miocardio, la madrugada del 17 de febrero de 1963. Tenía 67 años.

Se desconoce la fecha de su ingreso a Estados Unidos. Sólo se sabe el año en que fue internado: 1930, es decir, a la edad de 35 años. Se supone que trabajó durante algunos años hasta que enfermó y vivió por algún tiempo en Pershing Square, donde compartía su existencia, ya enferma, con vagabundos y desadaptados. De ahí lo recogieron para internarlo

en el hospital. Se ignora por qué no fue deportado en ese momento en que estaban en vigor las deportaciones masivas.

Varios autores han afirmado que Ramírez era analfabeta. Pero el mismo Martín parece desmentirlos. Hay varias pinturas donde utiliza palabras sueltas de escritura manuscrita, otras en letra de molde y, en algunos casos, recurre a estilos que recuerdan las capitulares de los manuscritos antiguos. Al parecer, no las copia, porque en ocasiones comete faltas de ortografía.

Hasta la fecha, se han propuesto varias lecturas de su obra. Primero, se utilizó su trabajo en clases de psiquiatría, como un ejemplo de la expresión gráfica en enfermos mentales. Posteriomente, se consideró su valor artístico dentro del campo de los *outsiders*. De ese modo, la obra de Ramírez fue expuesta en Londres, Suecia y Dinamarca. Finalmente, sus dibujos cayeron en manos de coleccionistas y galerías que lo "descubrieron" y promocionaron como pintor *naïf* en el difícil mundo del arte contemporáneo.

Por el informe del doctor Pasto se sabe que

Martín Ramírez se desempeñó como obrero en una lavandería y como peón en las vías del ferrocarril. De hecho, su experiencia en el traque aparece bien documentada en su obra en la que figuran de manera recurrente y obsesiva trenes, túneles y vías. El mundo del traque parece haber sido definitivo en la experiencia migrante de Ramírez. En sus cuadros se reflejan además imágenes de lo que parece ser el medio rural norteamericano: campos bien cultivados y perfectamente alineados, lo que hace pensar que en algún momento trabajó en la agricultura. Pero también llaman la atención sus dibujos del medio urbano: carreteras, edificios, automóviles... Es probable que se haya movido por la geografía norteamericana hasta llegar a la ciudad de Los Angeles.

En la pintura de Ramírez, como en la interpretación de los migrantes mexicanos, la experiencia laboral en Estados Unidos resulta asfixiante, carcelaria, rutinaria, opresiva. Todo lo contrario del trabajo en sus terruños que tiende a ser

percibido como libertario, cómodo y, hasta cierto punto, gracioso. Esta dicotomía entre lo real inmediato y el recuerdo idealizado suele ser típica de la condición migrante.

Hoy en día ejemplares de la obra de Martín Ramírez se encuentran en varios museos prestigiados de Estados Unidos. Sus cuadros tienen títulos y una nota que señala que "estuvo activo" en Estados Unidos entre 1930-1963. Martín Ramírez trabajó hasta el final de su vida.

El pueblo chicano

P or mucho tiempo se pensó que Estados Unidos operaba como un verdadero crisol cultural (*melting pot*) donde cada oleada de inmigrantes aportaba su cuota particular, su contribución específica a la formación de una nueva cultura: la norteamericana. En lo que concierne a los inmigrantes de origen mexicano el proceso de integración, adaptación o aculturación, ha sido lento y parcial, por decir lo menos. De hecho, en la integración mexicana en el otro lado es preciso distinguir tres procesos, que corresponden, grosso modo, a tres momentos diferentes: los mexicanos de origen ancestral, los norteamericanos de origen mexicano mediato y los hijos de inmigrantes mexicanos de origen reciente.

El primer grupo está integrado por los descendientes directos de aquellos que se quedaron en los territorios anexados y que formalmente, un día, se convirtieron en norteamericanos. En Nuevo México, principalmente, y en California y Texas, en menor medida, las raíces culturales hispano-mexicanas permanecieron vivas y activas sobre todo en el ámbito familiar, en las prácticas y valores íntimos de la cotidianidad. Californios, tejanos y nuevomexicanos resistieron durante mucho tiempo los

SURGE UNA NACIÓN

Con nuestro corazón en las manos y nuestras manos en la tierra, declaramos la independencia de nuestra nación mestiza. Somos un pueblo de bronce con una cultura de bronce. Ante toda Norteamérica, ante todos nuestros hermanos en el continente de bronce, somos una nación, somos la unión de pueblos libres, somos Aztlán. Por la Raza todo. Fuera de la Raza nada.

Documents of the Chicago Struggle

embates de la cultura anglosajona y conformaron nichos donde muchas prácticas y tradiciones de la cultura mexicana lograron sobrevivir y reproducirse.

A mediados de la década de 1960, a los descendientes mexicanos de Nuevo México se les negó el derecho a reclamar propiedades y fue quemado, de manera intencional, el archivo colonial donde se guardaba la documentación de esa época respecto de las mercedes de tierras. Frente a esa situación Reies Tijerina y un grupo de "valientes" se levantaron y emprendieron una lucha larga, humeante y sangrienta por la recuperación de sus predios y su dignidad. En ese momento, los "rebeldes" volvieron sus ojos hacia México en busca de apoyo gubernamental a una lucha que, decían, se basaba en el cumplimiento de los acuerdos del Tratado de Guadalupe Hidalgo, documento donde se reconocían las mercedes de tierras a los mexicanos. Los resultados de esa búsqueda de apoyo fueron ambiguos, incluso Reies Tijerina llegó a ser perseguido y encarcelado en México. No obstante, en la lucha, los "valientes" aprendieron a revalorar sus orígenes al mismo tiempo que marcaron sus diferencias con México y reforzaron su combate por la autodeterminación cultural, la independencia política y la sobrevivencia material.

Una (a)versión

Cortina fue un soldado, bandolero, asesino, abigeo y ladrón del correo. Carecía de escrúpulos; pero tenía una gran influencia política y el atrevimiento y desvergüenza dignos de Robin Hood, de un Robin Hood egocéntrico y despiadado. Tal fue Cortina, el *pillo del río Bravo*, el más notorio, el más insolente, atrevido, audaz bandido mexicano de todos los que operaron a lo largo de las sucias aguas del río Bravo.

Lyman L. Woodman, 1950
En Maciel, 1975

El segundo grupo lo forman los inmigrantes mexicanos y sus hijos norteamericanos que poco a poco y en pequeñas cantidades, pero a lo largo de todo un siglo, se han quedado a vivir de manera definitiva en Estados Unidos. Este grupo suele calificarse como "méxicoamericano". Por sus orígenes sociales y culturales forman parte de la clase trabajadora: están integrados en forma plena al mercado de trabajo y al modo de vida norteamericano, hablan a la perfección inglés y con dificultad español; pero a fin de cuentas son mexicanos de origen, se les identifica racialmente como hispanos y han sufrido y padecido, de un modo u otro, la discriminación social y laboral y las limitaciones de

ser o parecer ciudadanos de segunda clase.

En este grupo destacan, cada vez más, intelectuales, líderes sindicales, dirigentes y militantes de organizaciones independientes, gremiales, sociales y culturales. Una figura central de este grupo fue, por supuesto, el líder agrario César Chávez, nacido en Yuma, California, que se forjó en la escuela sindical norteamericana y supo imprimirle a su movimiento un sello mexicano. La bandera rojinegra de la United Farmer Association, con un águila azteca negra como escudo, simboliza la lucha de los trabajadores de origen mexicano en suelo norteamericano. A diferencia de los nuevomexicanos que reclamaban tierras, la gente de Chávez luchaba por mayores salarios y mejores condiciones de vida y trabajo. Su movimiento supo incorporar a diversos grupos de intelectuales y activistas que lo apoyaron en huelgas, marchas y boicots. Sin pretenderlo, César Chávez se convirtió en uno de los más connotados líderes chicanos.

Paradójicamente, sus huelgas fueron varias veces saboteadas por esquiroles de origen mexicano, que eran contratados con ese fin en la frontera por los patrones y las compañías emplazadas a huelga. Superar esa tensión llevó tiempo y obligó a los seguidores de Chávez a desarrollar un doble proceso: revalorar su origen mexicano y, al mismo tiempo, marcar sus diferencias con México y los mexicanos.

LA OTRA VERSIÓN

Cortina fue "un hombre entre hombres que tuvo el valor de oponerse a la tiranía y a la opresión y que siempre estuvo del lado de aquellos cuya causa era más humana que la de sus contrarios".

Charles Goldfinch, 1950
En Maciel, 1975

Ambos movimientos, aunque muy distintos, eran de índole agraria. Coincidieron, además, con procesos de cambio político y cultural muy intensos en México, en Estados Unidos y, por si fuera poco, en la relación binacional. Como se recordará, en 1964 concluyó el Programa Bracero y se desencadenó una tercera oleada de inmigración ilegal a Estados Unidos. Entre 1960 y 1990 ingresaron en forma ilegal cerca de tres millones y medio de mexicanos que engrosaron los barrios y mexicanizaron las escuelas públicas. De manera paradójica, el movimiento chicano se fortalece con la migración legal y se debilita con la indocumentada.

El ambiente político norteamericano estaba caldeado: surgimiento de movimientos étnico-sociales radicales como las Panteras Negras, la lucha por los derechos civiles, las protestas contra la guerra de Vietnam, el despertar del movimiento estudiantil en California. En ese contexto efervescente entró en escena el movimiento chicano que revaloró su origen y reconstruyó su ascendencia mexicana; se autodefinió racialmente como raza de bronce o, simplemente, "la raza"; se insertó en la lucha por los derechos civiles; reclamó por su participación desproporcionada en la guerra (su aporte demográfico a la población del suroeste de Estados Unidos era de 10%, en tanto, que en las bajas de guerra alcanzaba 20%). En su lucha por mejores condiciones educativas, los estudiantes e intelectuales universitarios retomaron

muchas de las demandas de la población de origen mexicano que derivaron en la formación de lo que llamamos el movimiento chicano.

Así, de este tercer grupo conformado por gente joven de origen urbano, con mayores índices de educación, son los "chicanos", término que se utilizaba en los años veinte para definir a los inmigrantes mexicanos y que hoy alude a un proyec-to de identidad cultural que busca la independencia y autonomía políticas. De este grupo emergen, día a día, manifestaciones culturales en el mundo del teatro, la literatura, el cine; a partir de su lucha surgen en las universidades centros de estudios chicanos, se incluye la educación bilingüe en las escuelas, se revalora el español.

En un esfuerzo gigan-tesco los chicanos han recreado su historia, han descubierto héroes y elaborado iconos. Recupera-ron para ellos el mito fundante de Aztlán, glorificaron a bandoleros

Chicanos en Corea

sociales como Joaquín Murrieta y Tiburcio Vázquez en California, a Juan Nepomuceno Cortina y Gregorio Cortéz en Texas. Se apropiaron de la fiesta del Cinco de Mayo y del héroe de esa jornada, el muy texano general Ignacio Zaragoza. En sus celebraciones acostumbran enarbolar las banderas nacionales de los dos países y un solo estandarte, el de la Virgen de Guadalupe. Emulando a Orozco, Rivera y Siqueiros, los tres mayores muralistas de México, los chicanos llevaron la pintura al barrio, la barda y la autopista. Recuperaron a los pachucos y crearon un estilo propio de vestir, cantar, componer canciones, bailar, tatuar y grafitear.

Los chicanos han creado una identidad cultural diferente a la de su lugar de origen y, al mismo tiempo, distinta de la de su lugar de destino. Los chicanos se pueden separar de los hispanos y los latinos, términos más inclusivos, pero también pueden confundirse en esas identidades mayores que cada día cobran mayor fuerza y presencia. Como quiera que sea su futuro, los chicanos han entrado de manera definitiva en la historia de México y Estados Unidos.

Voto de Gratitud a la "Stma. Virgen de San Juan"
Me accidenté y quedé lastimado de la cintura
y perdí de trabajar y la aseguranza no me reconocía mi enfermedad para que me pagara
lo me correspondía. Me encomendé a la Stma.
Virgen de San Juan, y me hizo el milagro, me
alivió y me llegó el cheque correspondiente de mi
accidente. Marciano Alcocer Castillo dedica
éste Retablo a la Virgen de San Juan en agradecimiento.
Matehuala S.L.P. Mayo 16 de 1967.

El norte, vida y milagros

Doy Infinitas Gracias a la Sma. de S. Juan, por sanarme cuando sufrí quemadura en la garganta, en el AÑO Rosalinda López. TOLEDO, OHIO, E.U.

En el centro-occidente de México se arraigó y se difundió como la humedad la tradición universal de ofrecer retablos –exvotos pintados– para agradecer algún favor recibido, siempre concebido como un milagro que, por esa razón, había que dar a conocer entre la gente para mayor gloria de la imagen venerada. Así, en viejos santuarios e iglesias de la ciudad de México y de los estados de Guanajuato, Jalisco, Michoacán, San Luis Potosí, Tlaxcala y Zacatecas los devotos han acumulado retablos que dan cuenta de

Libros y Publicaciones

MILAGROS DE PLATA

n figuras de hombre, mujer, niños,
razos, piernas, manos, pies, ojos
ncillos y dobles, cabeza y corazones
SESENTA CENTAVOS cada uno.
Tenemos también milagros de metal,
lateados, a CUARENTA CENTAVOS
cada uno. Pídalos usted a

LIBRERIA LOZANO

118 N. Santa Rosa Ave.
San Antonio, Texas

todas las vicisitudes de la sociedad, de las permanencias y cambios de la gente que, generación tras generación, ha acudido en busca de ayuda y consuelo divinos.

No es extraño entonces que el exvoto se convirtiera en el más antiguo y vigente vehículo de expresión de las peripecias, angustias y alegrías de los migrantes.

Allí, en esos viejos santuarios de imágenes centenarias ha quedado guardado lo más añoso, profundo y persistente de la memoria migrante, la constancia más vital de la experiencia migratoria desde sus inicios en el siglo pasado hasta la actualidad: hazañas y descalabros, miedos y expectativas, ilusiones y tragedias con respecto al viaje, el trabajo y la estancia en Estados Unidos; el recuerdo y la esperanza en los lugares de origen entre quienes los esperan en México.

En sus exvotos, esas pequeñas láminas pintadas con la imagen divina y la descripción del acontecimiento hecho milagro, los trabajadores migrantes no se han cansado de agradecer la hazaña de haber podido cruzar la frontera, de reencontrar el camino cuando estaban perdidos en el desierto o en la gran ciudad, de evadir a la "migra", de conseguir trabajo, de lograr los papeles que vuelven legal la aventura migratoria, de librarse de la muerte en una operación peligrosa o de haber vuelto al terruño. Los que los esperan agradecen las noticias, el retorno, el dinero que ha permitido la sobrevivencia, que ha hecho posible el regreso del ausente.

Los retablos

En los retablos aparece una parte de la historia migratoria que generalmente no ha sido contada. La ida al norte se ha convertido en un rito de pasaje masculino, es sinónimo de aventura, causa de orgullo y satisfacción para los que regresan con bien y con dinero. A los que les va mal prefieren callarse. No vaya a decirse que fueron flojos, que les dio miedo. Sólo a la Virgen, al Señor se les puede decir la verdad, contar esa historia de tristeza, temor y desventura.

Jorge Durand y Douglas Massey. *Miracles on the Border*

EL SR DE CHALMA.

DOY.GRACIAS.AL.SEÑOR.DE.LA.
MICERICORDIA.POR. UN.FABOR.
RESIVIDO. JULIO.DEL.81.
Compton CAL.
Jesus.Gomez.G.

Nuevas devociones

A la Iglesia y los católicos, que habían salido más o menos indemnes de las escaramuzas entre liberales y jacobinos, les preocupaba que los que migraban fueran influenciados por el protestantismo en Estados Unidos. La amenaza era mayor porque, en ese caso, la principal afectada sería de manera inevitable la región occidente del país, espacio de un profundo y enraizado catolicismo, cuna de vocaciones.

La situación era distinta en el norte. En ese territorio enorme, pero ralo en términos de población, la Iglesia tenía escasa fuerza y menor presencia histórica. En ese ámbito más relajado de tradiciones, los norteños podían resultar proclives a ofertas religiosas distintas, nuevas. Por una parte, ahí tenían mejor acogida los misioneros protestantes de Estados Unidos; por otra, era posible crear formas nuevas y originales de expresión y devoción religiosas. Carentes de enormes y antiguas iglesias, de calendarios religiosos establecidos, de santuarios y fiestas centenarias, los norteños podían aceptar e introducir formas de expresión religiosa, símbolos, santos e imágenes. De ahí, quizá, que haya sido precisamente en esa región donde, desde fines del siglo pasado, comenzaron a florecer devociones populares vigorosas y desde luego por completo inéditas: el culto a personas e imágenes contemporáneas.

Cuando los migrantes comenzaron a irse hacia el norte y la región empezó a poblarse, surgieron cultos

Fidencio, el día que tú naciste
cantaron los ruiseñores,
porque tú elegido fuiste,
el doctor entre doctores.

Mancos, ciegos y tullidos,
cuando los estás curando,
por no verlos afligidos
a todos les estás cantando.

Fidencio sin estudiar,
muchos miles has curado,
hasta no ir a descansar,
con el eterno a su lado.

Camino sin dirección,
vengo al campo del dolor,
échame tu bendición
Niño Santo, gran doctor..."

Luisa Riley. *Fidencio,
El Niño Fidencio*

por doquier. Como el curandero jalisciense Pedrito Jaramillo que atendía enfermos en la zona sur del estado de Texas; como el Santo Niño Damián Quijano que predicaba el diluvio a los indios mayos de Sonora. Pero los que lograron mayor arraigo y perdurabilidad fueron cuatro personajes nacidos, todos, a finales del siglo pasado que se hicieron famosos en los estados de Chihuahua, Nuevo León, Tamaulipas, Sinaloa y Baja California.

Por una parte, están aquellos que fueron santificados en vida por los devotos como Teresa de Urrea, más conocida como la "Niña" o "Santa de Cabora" y José de Jesús Fidencio Cíntora, al que todos conocían como "El Niño Fidencio". Los dos tenían poderes sobrenaturales y dedicaban la mayor parte de su tiempo a hacer curaciones milagrosas. Por otra parte, están aquellos que fueron santificados por la gente después de haber muerto, los dos de manera trágica: Juan Soldado, que fue fusilado y Jesús Malverde que murió a consecuencia de las heridas que le causaron sus perseguidores.

La prensa de fines de siglo de ambos lados de la frontera siguió, día con día, las declaraciones, andanzas y destierros de la Santa de Cabora. Su fama traspasó la frontera. Su profundo anticlericalismo, su prédica justiciera y, sobre todo, su fama como hacedora de milagros la enfrentaron al clero y al gobierno: fue excolmulgada por la Iglesia y considerada como agente

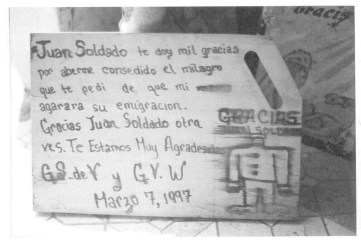

Martinez
P. ASEGURADA.

REDILLA.

BOLSA DE ORINA CAUSADA
POR EL MAL FUNCIONAMIENTO
DE LOS RIÑONES.

FIDENCIO S. CONSTANTINO
EN UNA DE SUS ESTUPENDAS OPERACIONES,
USANDO A MANERA DE BISTURI UN
PEDAZO DE VIDRIO DE BOTELLA.
ESPINAZO, N.L.

perturbador del orden social por el gobierno porfirista.

A la santa se le atribuyen numerosas curaciones hechas a gente de Chihuahua, Sonora y Sinaloa, que llegaba hasta su casa de Cabora. Ella sanaba con la imposición de manos, conocía y aplicaba la herbolaria. Como entre sus devotos había mayos y tomochitecos, fue relacionada con las movilizaciones indígenas de 1891 y 1892, la primera en la sierra de Tomochic, Chihuahua, la segunda en Navojoa, Sonora. En ambos casos, los sublevados combatieron al grito de ¡Viva la Santa de Cabora y muera el mal gobierno! Motivo suficiente, al parecer, para ser deportada. Cruzó la frontera por Nogales el 3 de junio de 1892.

Rebeldes primitivos, conspiradores ilustrados y un pueblo devoto siguieron a la Niña en su peregrinar por Estados Unidos. Desde el destierro en Fénix, continuó haciendo milagros y conspirando. El 26 de febrero de 1896 el procurador de justicia de Arizona informó al gobierno de Chihuahua sobre un supuesto "Plan Restaurador Reformista" impulsado por sus seguidores. Pero no pasó a mayores. La Santa de Cabora murió en 1902, año en que se publicó el Programa del Partido Liberal Mexicano, que auguró una revolución.

El Niño Fidencio fue otro taumaturgo de este siglo. Nació en algún lugar de Michoacán en 1898 y desde pequeño fue considerado como vidente. Su

reconocimiento como curandero y santo se acrecentó cuando llegó a vivir a la hacienda de El Espinazo, en la frontera entre Nuevo León y Tamaulipas. Ahí trabajaba como peón pero gustaba de las labores domésticas, de oficiar como partero y curandero. Sanaba a los enfermos, a los que operaba con trozos de vidrio o mediante brebajes curativos que él mismos preparaba.

Pero cuando de veras se hizo famoso fue a raíz de la curación al dueño de la hacienda de El Espinazo, un espiritista alemán, que, en señal de gratitud, mandó sacarle una fotografía al Niño Fidencio que distribuyó por miles. Ahí nació la afición del Niño por la fotografía y por preparar con cuidado las escenas y la pose cuando era retratado.

Así se amplió su radio de influencia: los fieles y devotos llegaban hasta El Espinazo en peregrinación. Un árbol de pirul, donde recibió una revelación, se convirtió en lugar santo, siempre colmado de exvotos y ofrendas. Su fama llegó al extremo cuando, el 8 de febrero de 1928, llegó a visitarlo el presidente Plutarco Elías Calles. Se dice que hablaron durante tres horas y que lo sanó de una enfermedad. El presidente comecuras, causante principal de la guerra cristera, norteño al fin, se sentía quizás identificado con ese tipo de religiosidad popular que surgía en la frontera.

DISTURBIOS ATRIBUIDOS A LA SANTA DE CABORA

En nuestros números anteriores hemos dado cuenta de los actos vandálicos cometidos por algunas partidas de malhechores en las poblaciones de Nogales, Sonora, y Ojinaga, Chihuahua, ambos puntos limítrofes con los Estados Unidos.

La última de las citadas poblaciones ha sufrido un nuevo ataque y se dice que los asaltantes lograron arrollar a la pequeña fuerza que la defendía; estamos seguros que a estas horas ya habrá acudido a aquel punto tropa suficiente para castigar a los individuos que produjeron el motín.

Parece que se tiene la certeza de que estos disturbios se deben a la Santa de Cabora, cuyo padre está dirigiendo a los revoltosos. También se dice que es muy probable que el gobierno pida la extradición de Teresita Urrea.

El Correo de Jalisco, 20 de agosto de 1896

La Verdadera Oración del
Anima de Malverde

Hoy ante tu Cruz postrado
¡Oh! Malverde mi Señor
te pido misericordia
y que alivies mi dolor.

Tú que moras en la Gloria
y estas muy cerca de Dios
escucha los sufrimientos
de este humilde pecador

¡Oh! Malverde milagroso
¡Oh! Malverde mí Señor
concédeme este favor
y llena mi alma de gozo

Dame salud Señor
dame reposo
dame bienestar
y seré dichoso

Se hace enseguida la petición personal y se rezan 3 Padres nuestros y 3
Aves Marías.

Se finaliza encendiendo dos veladoras

Di tu Voluntad

Ayudar a mi
gente en el
nombre de
Dios

Jesús Malverde

Recuerdo de
Jose Beltran Moreno y
familia

De todos lados llegaban peregrinos en busca de consuelo y salud pero muy en especial del sur de Texas, donde el Niño tenía innumerables seguidores. En una ocasión, por ejemplo, fue visitado por un numeroso grupo de indios americanos. El Niño murió de muerte anunciada por él mismo el 19 de octubre de 1938. De inmediato sus restos, posesiones y pertenencias se convirtieron en reliquias. Hasta el día de hoy existen fidencistas que lo siguen y que se reúnen en peregrinación el 19 de octubre de cada año.

En el otro extremo de la frontera, en la costa oeste, surgió, a principios de siglo otro santo popular: Jesús Malverde hoy conocido como patrón de los narcotraficantes. Pero antes no fue así. Su verdadero nombre, el que le pusieron cuando nació el 3 de mayo de 1870 en Mocorito, Sinaloa, era Jesús Juárez Maso. El apodo de Malverde se ha prestado a diferentes interpretaciones. Una versión dice que lo llamaban así porque era como un mal que se escondía entre la maleza, es decir, en lo verde. La versión actual, difundida por periodistas

norteamericanos, es que la palabra se refiere al dinero mal habido, es decir, a los billetes "verdes" del narcotráfico.

Malverde es el prototipo del bandolero social, de la estirpe de Robin Hood o Chucho El Roto, que robaba a los ricos para ayudar a los pobres. Era un bandolero muy popular y querido que cometía asaltos y fechorías en los alrededores de Culiacán. La tradición popular cuenta que en una ocasión fue herido en una mano y la policía empezó a buscar a una persona que

Ánima de Jesús Malverde
NACIO: EN 1870
MURIO: EL 3 DE MAYO DE 1909

estuviera vendada. A los pocos días muchos hombres se paseaban por las calles con la mano vendada como una manera de proteger la fuga del bandolero. También se dice que el gobierno ofreció una recompensa por su cabeza y empezaron a perseguirlo por todos lados. En un enfrentamiento cayó gravemente herido y le dijo a un amigo que después de muerto lo colgara de un árbol para que así pudiera cobrar la recompensa que debía ser repartida entre los pobres. El culto empezó después de su muerte, a partir de que permaneció colgado, por mucho tiempo, de aquel árbol para que sirviera de escarmiento público.

La tumba de Malverde se convirtió en lugar de peregrinación para sus devotos, muchos de ellos migrantes de la región a Estados Unidos. El gobierno dispuso, en 1980, que ahí debía construirse un nuevo Palacio de Gobierno y sus restos tuvieron que ser trasladados, no sin quejas, a una ermita que se construyó *ex profeso* con apoyo de las autoridades.

El culto a Malverde se realiza ahora en ese lugar. Ahí, don Eligio González oficia de capellán, administra las limosnas y vende los bustos, de yeso y pintados, además de medallas, oraciones y recuerdos del bandolero. Aunque se dice que es el patrono de los ladrones y actualmente de los narcos, la gente común lo considera como patrón del pueblo, no sólo de los narcos. Con todo, las súplicas y agradecimientos son especiales. Como la de aquella muchacha que le pide "...que mi novio se divorcie, para yo poder casarme con él..."; la de un ex presidiario de San Quintín que le agradece el haber salido de la cárcel; la de una familia que le expresa su gratitud porque el padre salió con vida de un tiroteo.

Lo que ha puesto los reflectores sobre la figura de Malverde ha sido su apropiación por los narcotraficantes, que acuden a la ermita con música ruidosa, numerosas velas, abundantes flores y

compran los bustos más voluminosos que conservan en despachos y casas. Al son de la imprescindible tambora celebran y agradecen lo que la vida les ha dado "...en el nombre de Dios y de Malverde...".

Otra figura de devoción en la zona fronteriza del Pacífico es Juan Soldado, que es la antítesis de Malverde, ya que pagó con su vida por un delito que no cometió. El soldado Juan Castillo Morales, acantonado en Tijuana, fue acusado, injustamente, de haber violado y matado a la niña Olga Camacho, de ocho años de edad.

El suceso coincidió con una oleada de protestas callejeras en contra del decreto cardenista que obligaba a cerrar el Casino de Agua Caliente, imán que atraía gente y recursos a la todavía pequeña ciudad de Tijuana. La turba, después de quemar la comandancia de policía y prender fuego a Palacio de Gobierno exigió a gritos que le entregaran al culpable del asesinato de la pequeña Olga. Las autoridades civiles se negaron a juzgarlo y al final un tribunal militar lo consideró culpable y acreedor a la "Ley fuga". El 17 de febrero de 1938 Juan Castillo Morales cayó fusilado.

Su muerte dio lugar a un sentimiento de culpabilidad colectiva en Tijuana. Culpabilidad que muy pronto derivó en devoción. La tumba de Juan se convirtió en un lugar de peregrinación al igual que el sitio donde había sido fusilado. Día con día la fama de Juan Soldado fue creciendo hasta convertirse en un personaje popular que intercede ante los ojos de Dios para la concesión de favores.

Juan Soldado o "Juanito", como lo llaman sus devotos, recibe peregrinos de todo el país y del suroeste de Estados Unidos. Le rezan, agradecen o suplican, prenden velas, llevan flores y depositan exvotos. Para muchos migrantes ir a rezarle a Juan Soldado se ha convertido en una obligación ritual antes y después de la aventura migratoria. En retablos y placas le piden que los cuide durante el viaje, le agradecen por haber podido sortear a la migra, por lograr los papeles, por regresar con bien.

De forma menos individualizada y del otro lado de la frontera, siguen surgiendo lugares de peregrinación que dan cuenta de los miedos y esperanzas de la migración de hoy. Un sitio muy concurrido por los migrantes de Arizona y Texas es una vieja camioneta que quedó abandonada en el desierto donde murieron varios migrantes en su intento, infructuoso, por llegar a Fénix. La camioneta fue interceptada y tiroteada por la banda "The New Americans" lidereada por Quaile. Los sobrevivientes fueron despojados de sus ropas y pertenencias –que fueron quemadas–, abandonados y obligados a vagar por el desierto. Algunos fueron encontrados días después por una patrulla, en estado deplorable. Varios murieron. En el juicio, los abogados de Quaile dijeron que él y sus amigos ayudaban a que se cumplieran las leyes de inmigración y sólo recibieron una leve condena.

Desde entonces, los restos de la camioneta oxidada se han convertido en lugar de peregrinación. La visitan curiosos, miembros de organizaciones de derechos humanos, trabajadores migrantes que, como dice Taibo II, "...se hacen acompañar por sus familias, niños pequeños incluidos. Con frecuencia hay velas prendidas que resisten los suaves vientos y, casi siempre, sobre la ruina de metal, que poco a poco va cubriendo la arena, hay ramos de flores secas...".

La Santa entrevistada en El Paso

Dice un periódico que la célebre Teresita Urrea conocida por la Santa de Cabora, acaba de llegar a El Paso, Texas, acompañada de su padre y hermanos. Desde luego la entrevistaron varios reporteros, quienes dicen que es de aspecto agraciado y simpático.

Ella dice que nació en el estado de Sinaloa, de la república mexicana, y se fue a los Estados Unidos porque le atribuyeron su gestión en la rebelión de los yaquis y mayos, cosa que niega, lo mismo respecto de los asuntos de Tomochic y Temosiachic, estando ella entonces en Arizona, Estados Unidos.

Allí en El Paso, ha seguido haciendo sus curaciones y su consultorio está, según aseguran, muy concurrido. Dice la Santa que en el magnetismo y la doble visión de que se halla poseída ha hecho muchas curaciones, siendo el motivo principal de su atingencia el don que se atribuye de poder a primera vista atinar en qué parte del organismo se encuentra el mal que aqueja al enfermo. Se añade, por último, que en aquella frontera hay muchos individuos, sobre todo yankees que se disputan la mano de la santa.

El Correo de Jalisco, 24 de junio de 1896

Los migrantes hoy

Los estudios sobre la migración mexicana a Estados Unidos han avanzado mucho en el conocimiento acerca de cómo, cuándo y por dónde cruzan la frontera los migrantes indocumentados. En lo que se ha avanzado muy poco, y los resultados son siempre discutibles, es en el cuánto, es decir, en determinar el volumen del flujo migratorio. Recientemente, una comisión binacional estuvo de acuerdo en algunas cifras. En 1998, según esa fuente, había cerca de siete

millones y medio de migrantes mexicanos, de los cuales cinco millones tenían la calidad de residentes legales y el resto eran indocumentados.

Hoy en día es posible –e imprescindible– distinguir cuatro tipos de migrantes o trabajadores legales. En primer lugar están los que son ciudadanos americanos, es decir, aquellos que se naturalizaron; en segundo término los residentes que pueden vivir y trabajar de manera indefinida en Estados Unidos, conocidos popularmente como "emigrados". En tercer lugar los que tienen visa de trabajo: los tarjeta verde o *green card*, que pueden trabajar y vivir en cualquier parte de Estados Unidos y por último los que tienen "mica" o

pasaporte fronterizo, documento con el que pueden trabajar y transitar a lo largo de las ciudades de la franja fronteriza.

Aunque se puede saber la cantidad de tarjetas verdes que han sido otorgadas y de procesos de naturalización que han concluido, eso no significa que el recuento corresponda al número de personas que están viviendo efectivamente en Estados Unidos. Esto es en particular válido para el caso de los trabajadores fronterizos "transmigrantes". Como se ha constatado, las cifras pueden variar mucho según horas del día, días y meses del año. Muchos transmigrantes se desplazan a diario; otros, durante los fines de semana. Los trabajadores agrícolas con documentos suelen volver

A nivel popular, los indocumentados suelen distinguirse por el lugar y la modalidad del cruce. Quizás el primer apelativo fue el de "mosca", para aquellos que cruzaban la frontera arriba de los vagones de ferrocarril. Más tarde, el término "mojado" o "espalda mojada" se acuñó para los que atravesaban el río Bravo rumbo a Texas; por su parte, eran "alambres" los que pasaban hacia California ya que tenían que cruzar la malla que separaba los dos países en ciudades como Tijuana y Mexicali.

El cruce de la frontera sin documentos forma parte integral de los peligros verdaderos que animan las tertulias y nutren la mitología migrante. En Tijuana, por ejemplo, se cuenta que hubo un tiempo en que se podía cruzar corriendo por la playa o el cerro. La travesía por el Cañón Zapata, ubicado en la Colonia Libertad, literalmente pegada a la línea fronteriza, se hizo famosa en la década de los ochenta. La cantidad de "pollos" y "coyotes" que ahí se reunían era tal que el lugar se plagó de misceláneas y hotelitos que daban servicio a esa infinita población flotante que se renovaba

al terruño durante el invierno, cuando el intenso frío hace menguar el empleo en Estados Unidos.

Por su parte, los migrantes indocumentados son mucho más difíciles de contabilizar: se trata de una población que llega de manera temporal, que se desplaza siguiendo rutas de empleo, que elude los registros de cualquier tipo. Recuentos confiables, como los censos de población, han reconocido un subregistro importante en lo que se refiere a la población inmigrante ilegal.

La experiencia migrante.
Iconografía de la migración México-Estados Unidos
se terminó de imprimir y encuadernar en enero del 2000 en los talleres gráficos de
Editorial Pandora, S.A. de C.V., Cañas 3657, La Nogalera, Guadalajara, Jalisco.
La edición consta de 2000 ejemplares más sobrantes para reposición.

Revisión y corrección de textos: Marisa Martínez Moscoso
Diseño y cuidado de edición:TonoContinuo/Francisco Castellón Amaya